하루 한 장 60일 집중 완성

교과도형

초6

F1

각기둥과 각뿔 /
직육면체의 부피와 겉넓이

히어로컨텐츠 HEROCONTENS

발행일: 2022년 5월 **발행인**: 이예찬

기획개발: 두줄수학연구소

디자인: 4BD STUDIO **삽화**: 1000DAY

발행처: 히어로컨텐츠

주소: 서울특별시 금천구 서부샛길 632, 7층(대륭테크노타운5차)

전화: 02-862-2220 **팩스**: 02-862-2227

지원카페: cafe.naver.com/eduherocafe **인스타그램**: @edu__hero

하루 한 장 60일 집중 완성 교과도형은

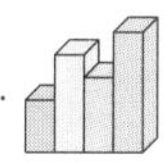

달라진 교과서와 학교 수업 진도에 맞추어 학습자가 체계적으로 도형을 학습할 수 있도록 안내합니다.

이전의 도형 학습이 도형의 정의와 성질을 외우고, 도형의 측정결과를 계산하는 '결과' 중심의 학습이었다면 지금의 도형 학습은 공간에 대한 이해와 해석(공간감각)을 바탕으로 모양을 인식하고 변화를 유추하고 다양한 방법으로 도형을 측정하고 그 결과를 표현하는 '과정' 중심의 학습입니다.

교과도형은 수학교육의 변화와 핵심을 이해하고 올바른 방향을 제시해 주는 든든한 길잡이가 될 것입니다.

하루 한 장 60일 집중 완성 교과도형은

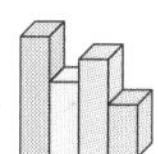

① 공간감각 ② 도형표현 ③ 도형측정을 중심으로 교과서에서 다루는 모든 도형을 체계적으로 학습합니다.

공간감각

도형을 효과적으로 학습하기 위해서는 공간을 이해하고 해석하는 능력, 즉 '공간감각'이 필요합니다.

공간감각은 경험과 상상력을 바탕으로 머릿속에서 도형을 조작하고 결과를 유추하는 능력입니다. 공간감각은 단시간에 길러지지 않으므로 어릴 때부터 꾸준하게 학습하고 구체적인 경험을 쌓는 것이 중요합니다.

'교과도형'의 각 권 마지막에 있는 '도형플러스'는 각 권의 학습목표와 연계하여 공간감각을 한 단계 더 높여줄 수 있는 내용으로 구성하였습니다.

도형표현

공간에 존재하는 도형은 표현되었을 때 더 큰 의미를 가집니다.

- 삼각형을 찾는 것에서 그치지 않고 다양한 삼각형을 직접 그려 보고 왜 삼각형인지 설명하는 것
- 쌓기나무로 만든 모양을 위치와 방향을 이용하여 설명하는 것
- 도형을 여러 가지 기준과 특징에 따라 분류하고 왜 그렇게 분류했는지 설명하는 것
- 도형을 위·앞·옆에서 바라보고 그 모습을 그림으로 표현하는 것 등이 모두 '도형표현'입니다.

'교과도형'은 도형과 관련한 작은 그림에서부터 서술형 문장제까지 도형을 표현하는 다양한 방법을 효과적으로 학습합니다.

도형측정

측정은 도형과 아주 밀접한 관계가 있으므로 도형을 학습하면서 반드시 함께 다루어야 하는 영역입니다.

길이, 각도, 둘레, 넓이, 부피 등 흔히 '도형' 영역이라 생각하는 것이 사실 초등 교육과정에서는 '측정' 영역에 해당합니다. 사각형을 학습하는 것은 도형이지만 사각형의 둘레와 넓이를 구하는 것은 측정입니다. 각의 종류를 학습하는 것은 도형이지만 각도를 재는 것은 측정입니다. 이처럼 길이, 각도, 둘레, 넓이, 부피 등은 결국 도형을 측정하는 것입니다.

'교과도형'은 교과서의 모든 '도형' 영역을 다루었습니다. 여기에 도형과 반드시 연계하여 학습해야 하는 '측정' 영역을 추가로 다루어 더욱 완성된 도형 학습을 할 수 있도록 도와줍니다.

하루 한 장 60일 집중 완성 교과도형은 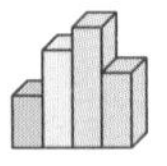

7세부터 6학년까지 총 7단계 21권(단계별 3권)으로 구성되어 있으며 각 권은 매일 한 장씩 4주간 체계적으로 학습할 수 있습니다.

1권, 20일

2권, 20일

3권, 20일

대 상	단 계	구 성
7세 ~ 1학년	P	P1, P2, P3
1학년	A	A1, A2, A3
2학년	B	B1, B2, B3
3학년	C	C1, C2, C3
4학년	D	D1, D2, D3
5학년	E	E1, E2, E3
6학년	F	F1, F2, F3

교과도형의 각 단계는 1, 2, 3권을 차례대로 학습합니다.

교과도형, 한 권이면 충분합니다

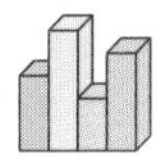

교과도형은 공간감각, 도형표현, 도형측정을 중심으로 교과서에서 다루는 모든 도형을 학습하고,
공간감각 향상을 위한 '도형플러스'와 학습 결과를 확인하는 '형성평가'를 제공합니다.

1 주차별 학습

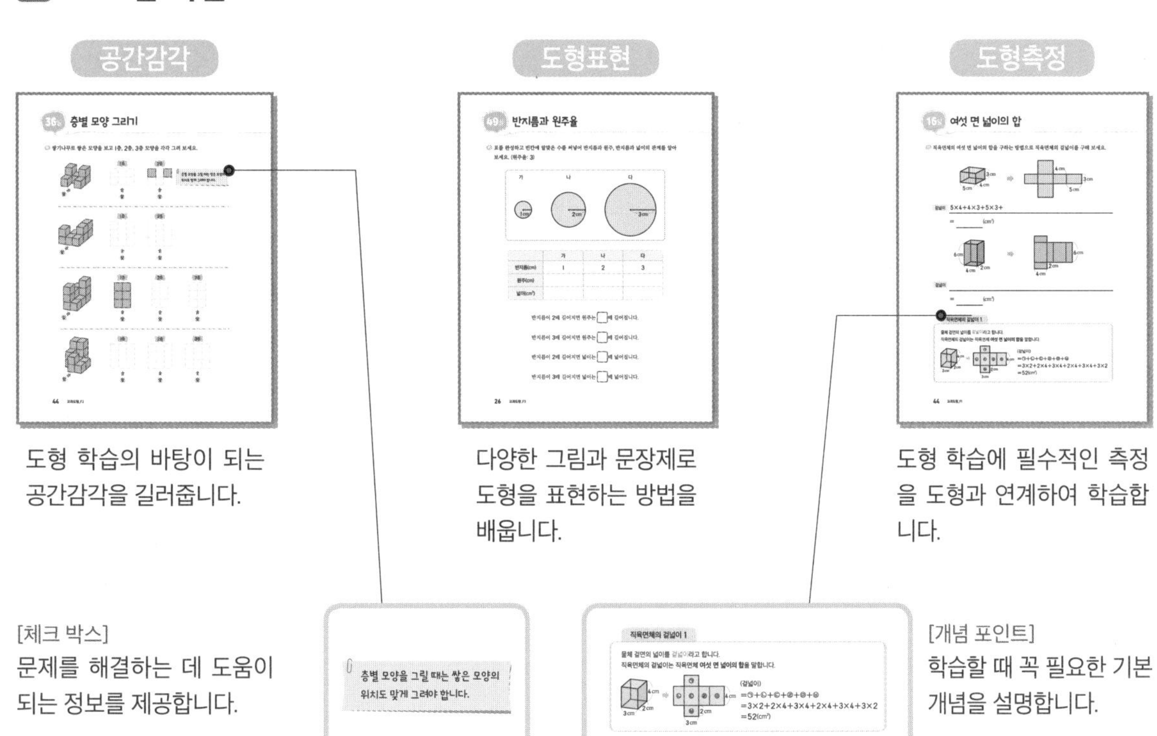

공간감각: 도형 학습의 바탕이 되는 공간감각을 길러줍니다.

도형표현: 다양한 그림과 문장제로 도형을 표현하는 방법을 배웁니다.

도형측정: 도형 학습에 필수적인 측정을 도형과 연계하여 학습합니다.

[체크 박스]
문제를 해결하는 데 도움이 되는 정보를 제공합니다.

[개념 포인트]
학습할 때 꼭 필요한 기본 개념을 설명합니다.

2 도형플러스

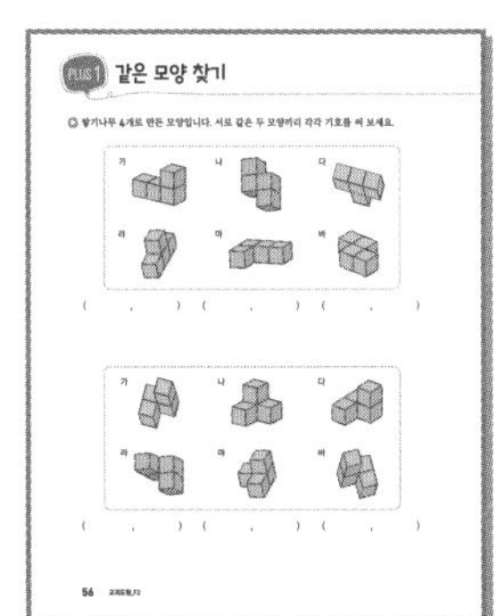

각 권의 학습 주제와 연계하여 공간감각을 더욱 향상시킵니다.

3 형성평가

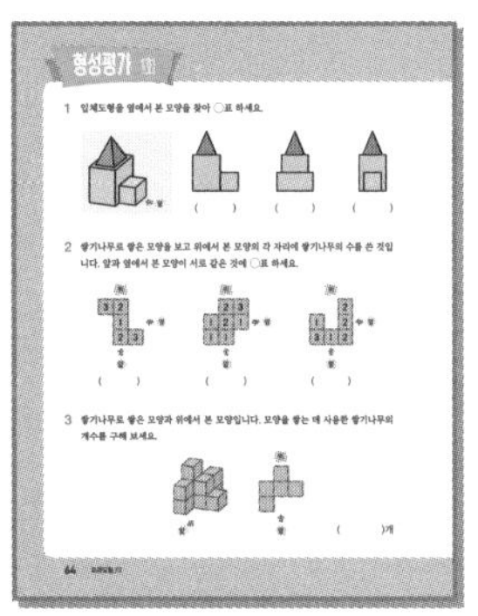

학습한 내용을 다시 한 번 복습하고 정리합니다.

이 책의 차례

1주차
01~05일

각기둥과 각뿔

01일 각기둥

각기둥을 찾아 모두 ◯표 하세요.

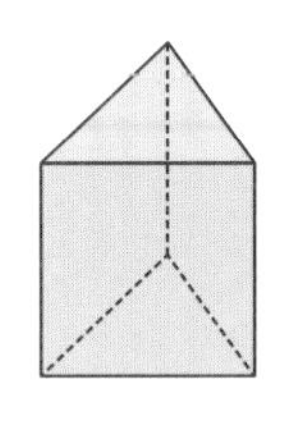

(　　　)

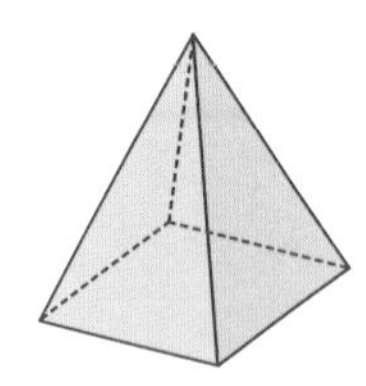

(　　　)

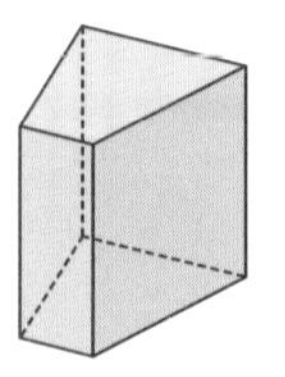

(　　　)

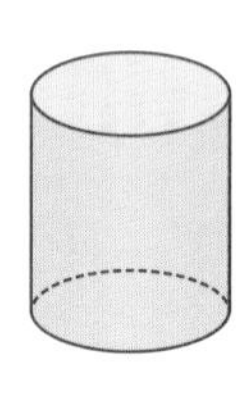

(　　　)

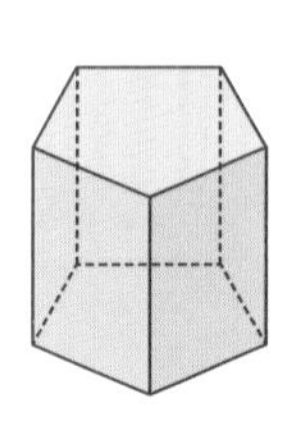

(　　　)

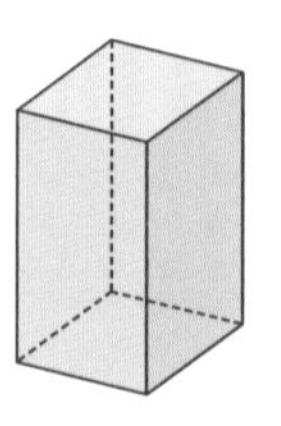

(　　　)

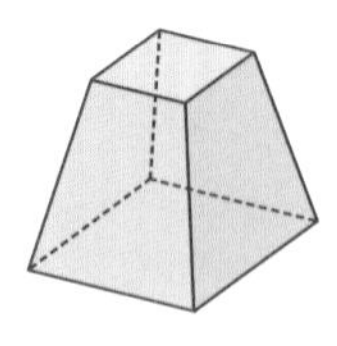

(　　　)

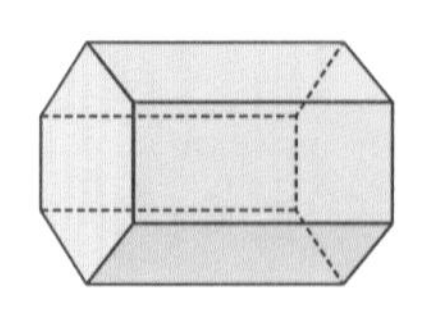

(　　　)

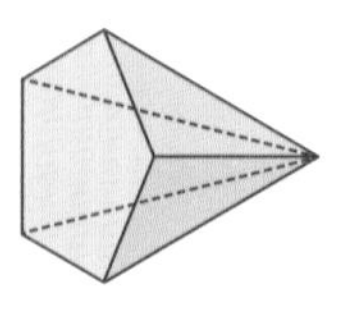

(　　　)

각기둥

다음과 같은 입체도형을 각기둥이라고 합니다.

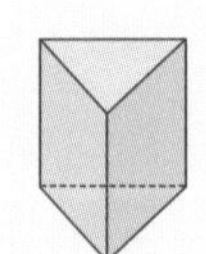
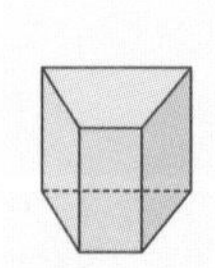
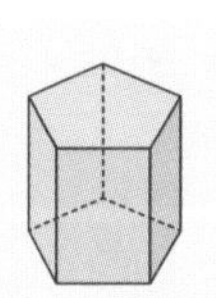
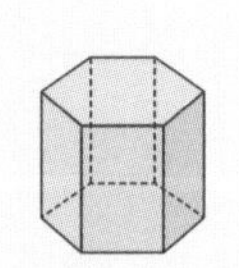

① 모든 면이 **다각형**입니다.
② 서로 **평행한 두 면**이 있습니다.
③ 서로 평행한 두 면은 **합동**입니다.

11 각기둥에서 두 밑면에 색칠하고, 밑면의 수와 옆면의 수를 각각 써 보세요.

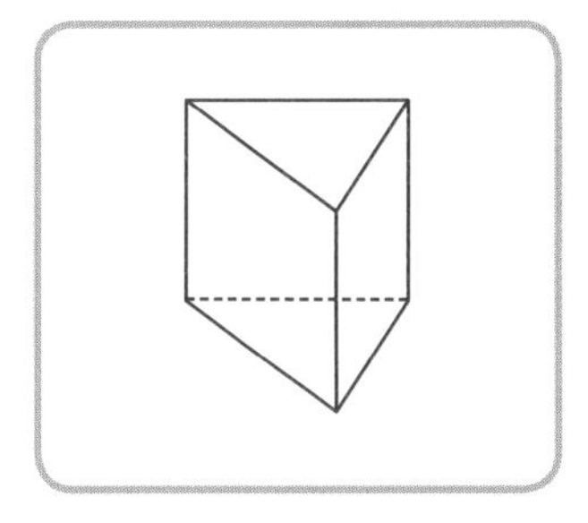

밑면의 수: ☐개

옆면의 수: ☐개

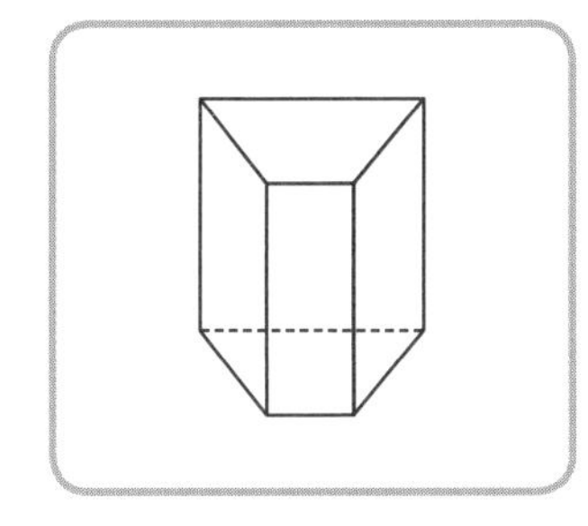

밑면의 수: ☐개

옆면의 수: ☐개

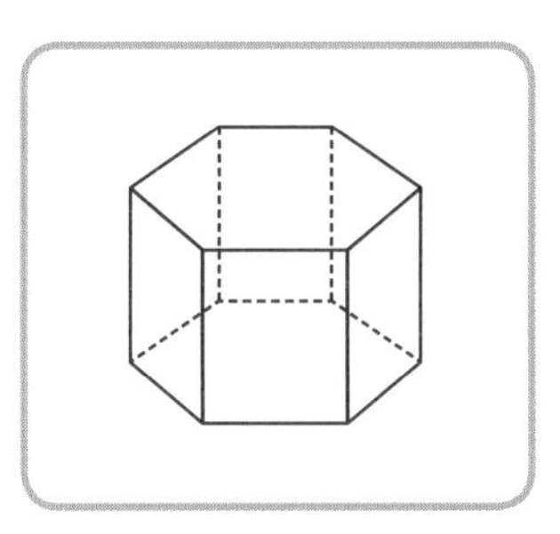

밑면의 수: ☐개

옆면의 수: ☐개

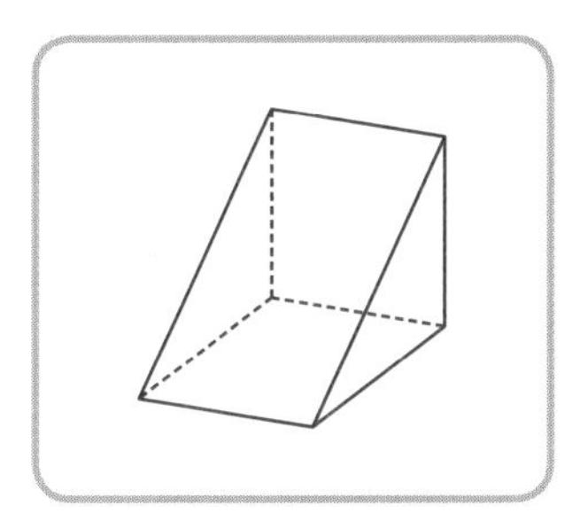

밑면의 수: ☐개

옆면의 수: ☐개

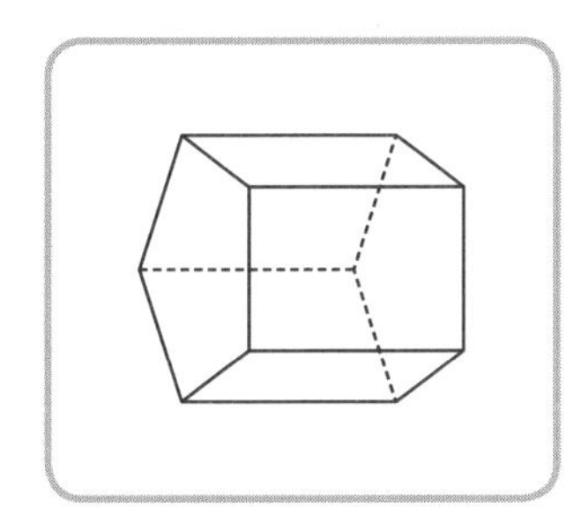

밑면의 수: ☐개

옆면의 수: ☐개

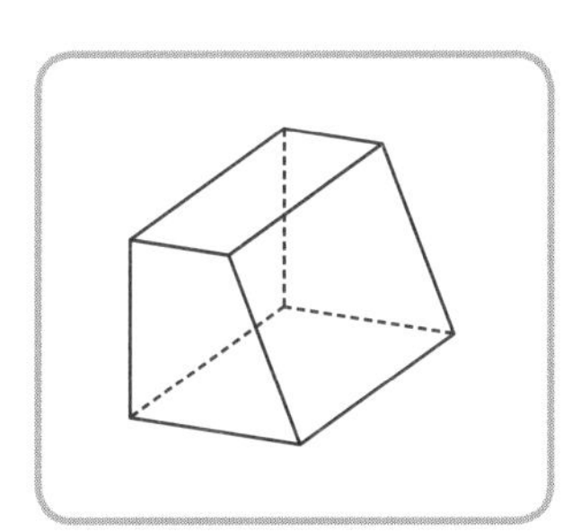

밑면의 수: ☐개

옆면의 수: ☐개

밑면과 옆면

각기둥에서 서로 평행하고 합동인 두 면을 밑면이라 하고, 두 밑면과 만나는 면을 옆면이라고 합니다.

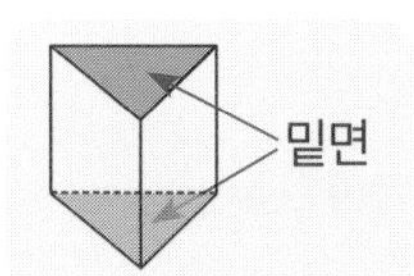

두 밑면은 옆면과 모두 **수직**으로 만납니다.

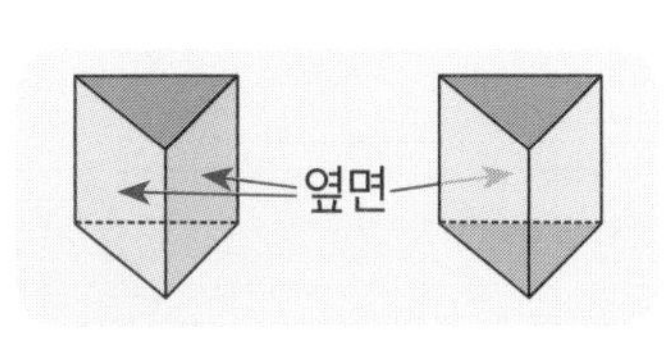

옆면은 모두 **직사각형**입니다.

02일 각뿔

각뿔을 찾아 모두 ○표 하세요.

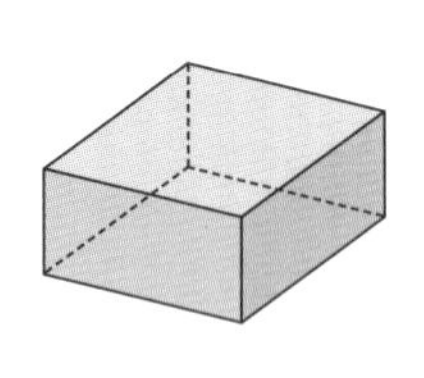

(　　　)

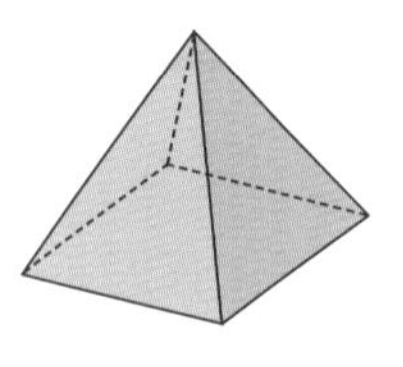

(　　　)

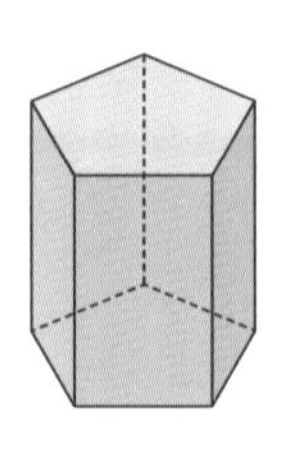

(　　　)

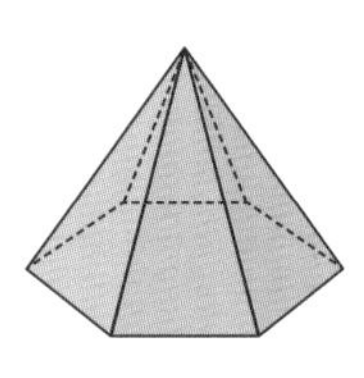

(　　　)

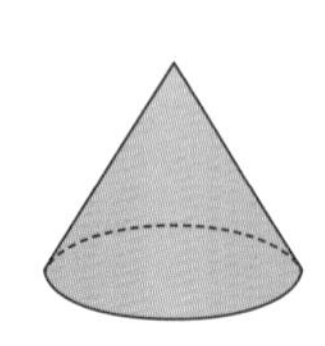

(　　　)

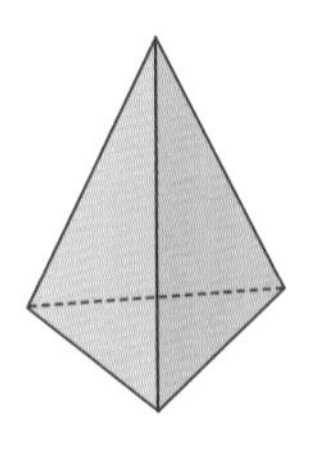

(　　　)

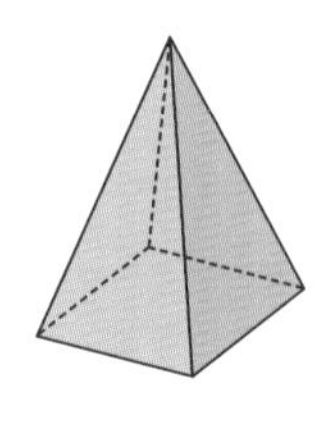

(　　　)

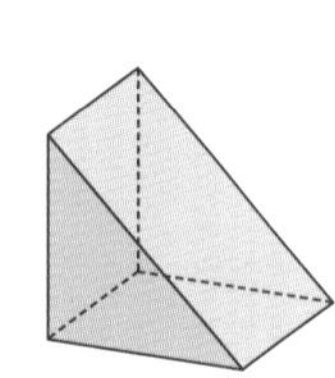

(　　　)

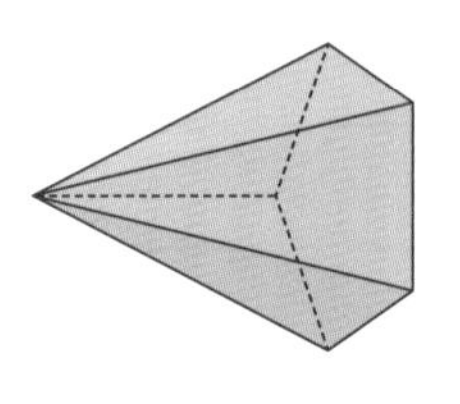

(　　　)

각뿔

다음과 같은 입체도형을 각뿔이라고 합니다.

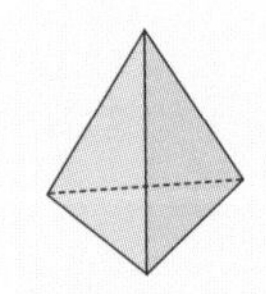

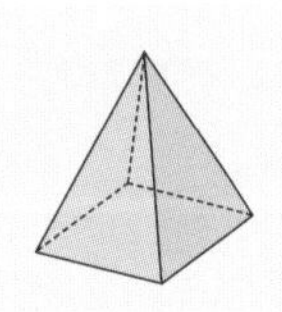

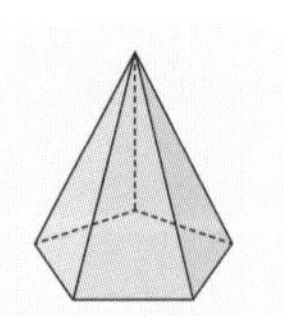

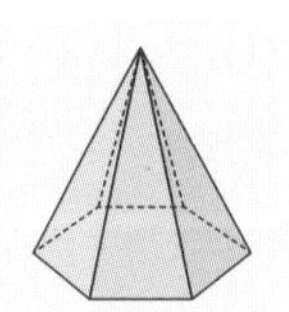

① 뿔 모양입니다.

② 모든 면이 **다각형**입니다.

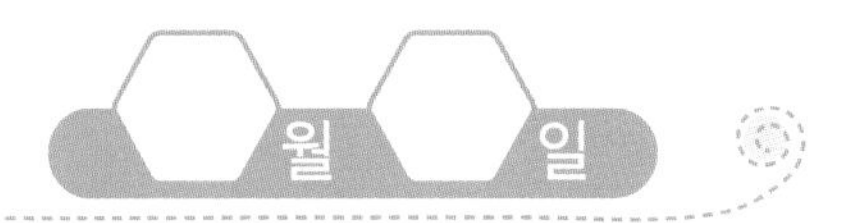

각뿔에서 밑면에 색칠하고, 밑면의 수와 옆면의 수를 각각 써 보세요.

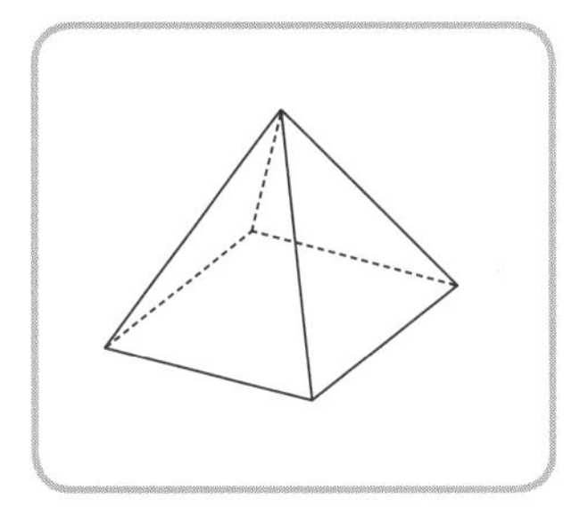

밑면의 수: □개

옆면의 수: □개

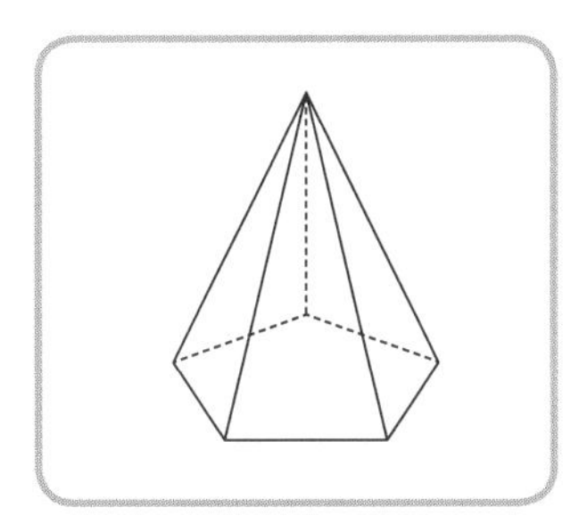

밑면의 수: □개

옆면의 수: □개

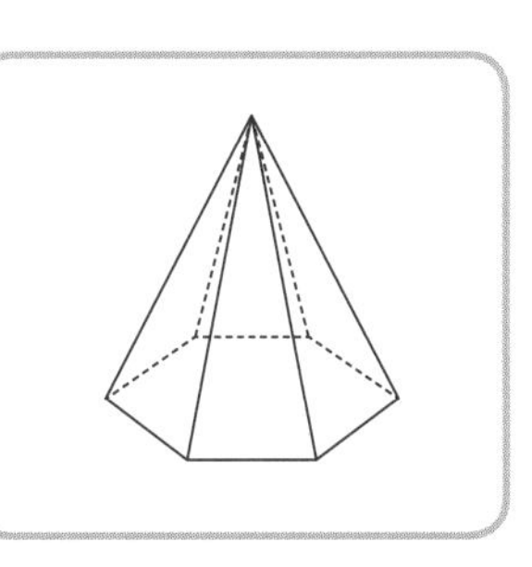

밑면의 수: □개

옆면의 수: □개

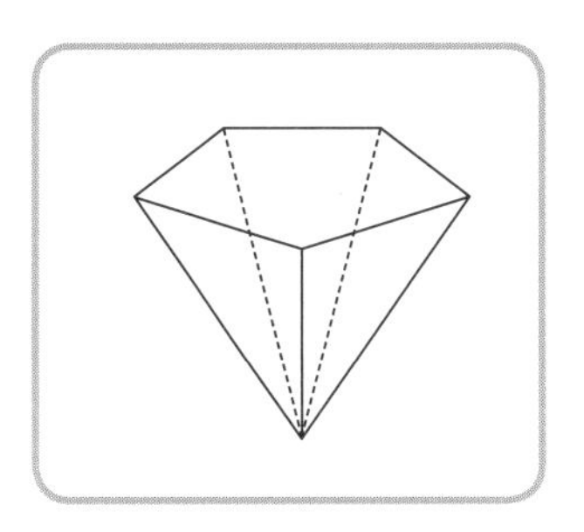

밑면의 수: □개

옆면의 수: □개

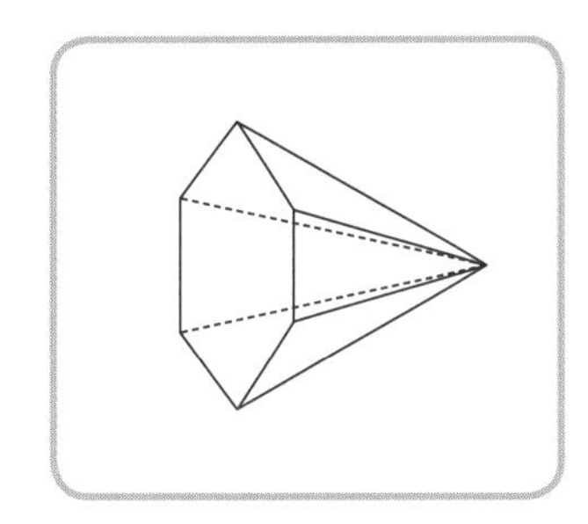

밑면의 수: □개

옆면의 수: □개

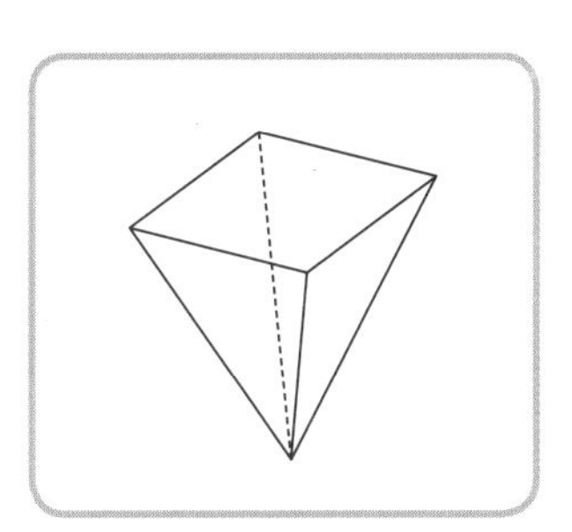

밑면의 수: □개

옆면의 수: □개

밑면과 옆면

각뿔에서 다음과 같이 색칠된 면을 밑면이라 하고, 밑면과 만나는 면을 옆면이라고 합니다.

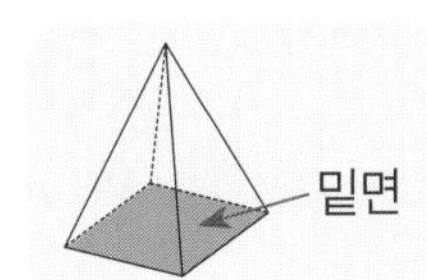

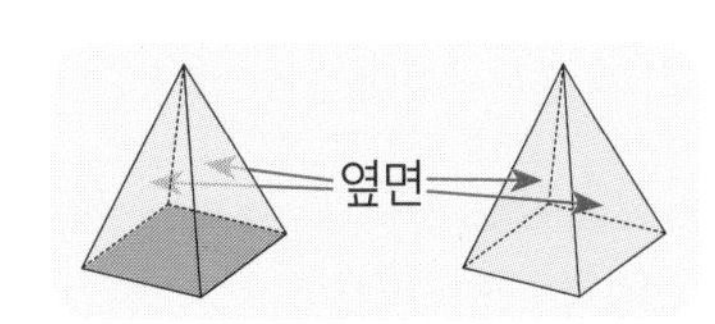

옆면은 모두 **삼각형**이고, 한 점에서 만납니다.

03일 각기둥, 각뿔의 이름

1 표를 완성해 보세요.

각기둥				
밑면의 모양	사각형			
각기둥의 이름	사각기둥			

각뿔				
밑면의 모양				
각뿔의 이름				

각기둥과 각뿔의 이름

각기둥은 밑면의 모양에 따라 밑면이 삼각형이면 삼각기둥, 밑면이 사각형이면 사각기둥, 밑면이 오각형이면 오각기둥, 밑면이 육각형이면 육각기둥……이라고 합니다.

각뿔도 밑면의 모양에 따라 밑면이 삼각형이면 삼각뿔, 밑면이 사각형이면 사각뿔, 밑면이 오각형이면 오각뿔, 밑면이 육각형이면 육각뿔……이라고 합니다.

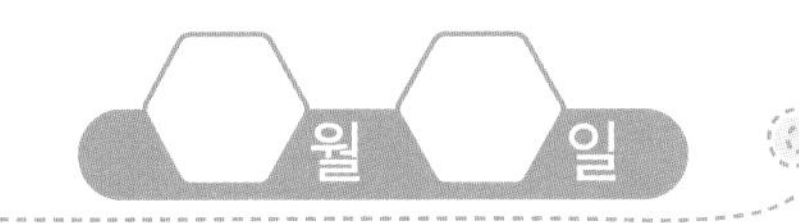

입체도형을 보고 표를 완성해 보세요.

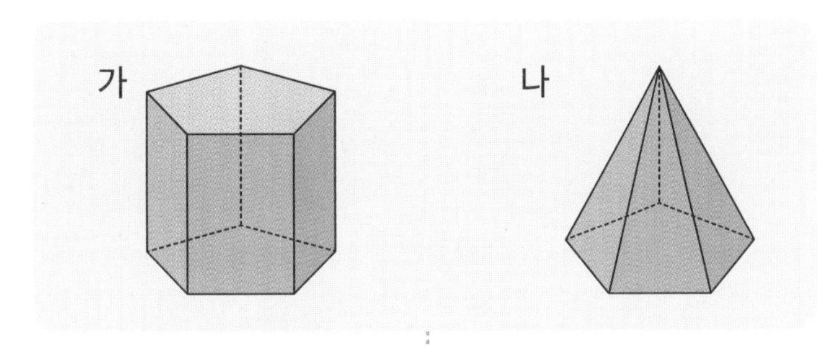

도형	이름	밑면의 모양	밑면의 수(개)	옆면의 모양	옆면의 수(개)
가				직사각형	
나					

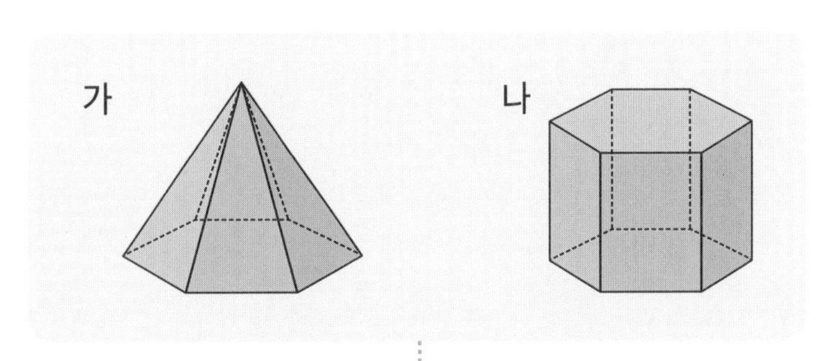

도형	이름	밑면의 모양	밑면의 수(개)	옆면의 모양	옆면의 수(개)
가					
나					

04일 면, 모서리, 꼭짓점

표를 완성하고 빈칸에 알맞은 수를 써넣어 면, 모서리, 꼭짓점 수의 관계를 알아보세요.

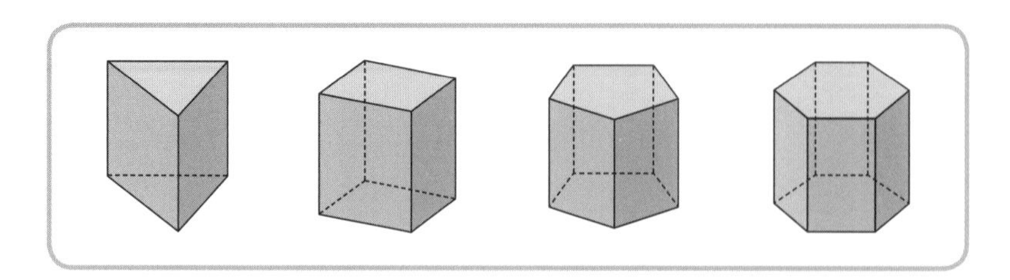

도형	한 밑면의 변의 수(개)	면의 수(개)	모서리의 수(개)	꼭짓점의 수(개)
삼각기둥	3	5	9	6
사각기둥				
오각기둥				
육각기둥				

각기둥의 면의 수는 (한 밑면의 변의 수) + ☐ 입니다.

각기둥의 모서리의 수는 (한 밑면의 변의 수) × ☐ 입니다.

각기둥의 꼭짓점의 수는 (한 밑면의 변의 수) × ☐ 입니다.

면, 모서리, 꼭짓점

각기둥에서 면과 면이 만나는 선분을 모서리라 하고,
모서리와 모서리가 만나는 점을 꼭짓점이라고 하며,
두 밑면 사이의 거리를 높이라고 합니다.

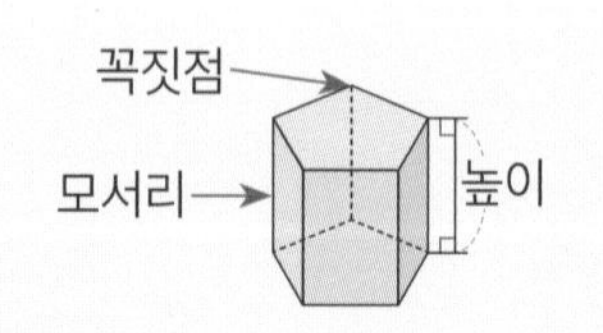

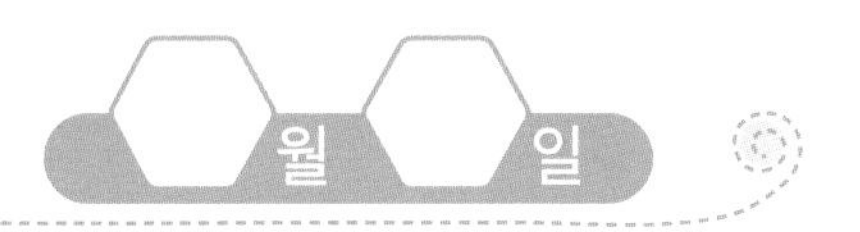

11 표를 완성하고 빈칸에 알맞은 수를 써넣어 면, 모서리, 꼭짓점 수의 관계를 알아보세요.

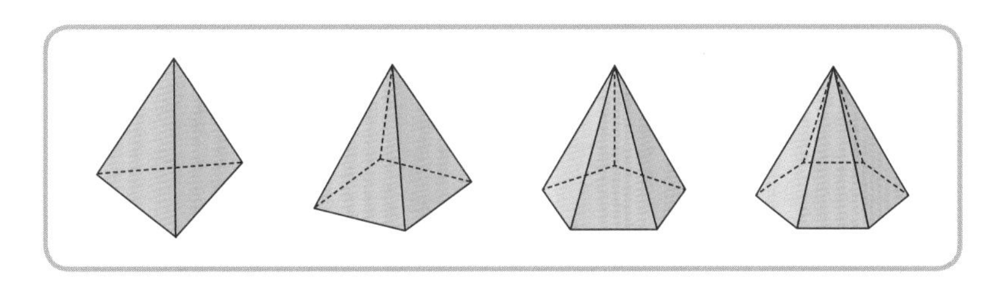

도형	한 밑면의 변의 수(개)	면의 수(개)	모서리의 수(개)	꼭짓점의 수(개)
삼각뿔				
사각뿔				
오각뿔				
육각뿔				

각뿔의 면의 수는 (밑면의 변의 수) + ☐ 입니다.

각뿔의 모서리의 수는 (밑면의 변의 수) × ☐ 입니다.

각뿔의 꼭짓점의 수는 (밑면의 변의 수) + ☐ 입니다.

각뿔에서 면과 면이 만나는 선분을 모서리라 하고,
모서리와 모서리가 만나는 점을 꼭짓점이라고 합니다.
꼭짓점 중에서 옆면이 모두 만나는 점을 각뿔의 꼭짓점이라 하고,
각뿔의 꼭짓점에서 밑면에 수직인 선분의 길이를 높이라고 합니다.

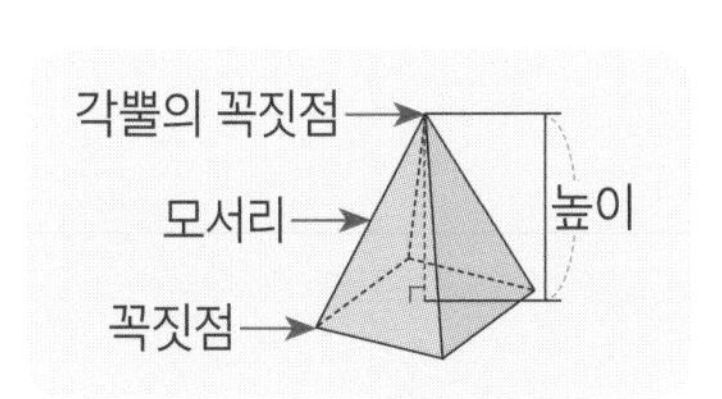

05일 도형 설명하기

① 각기둥과 각뿔을 보고 빈칸에 알맞은 수 또는 기호를 써넣으세요.

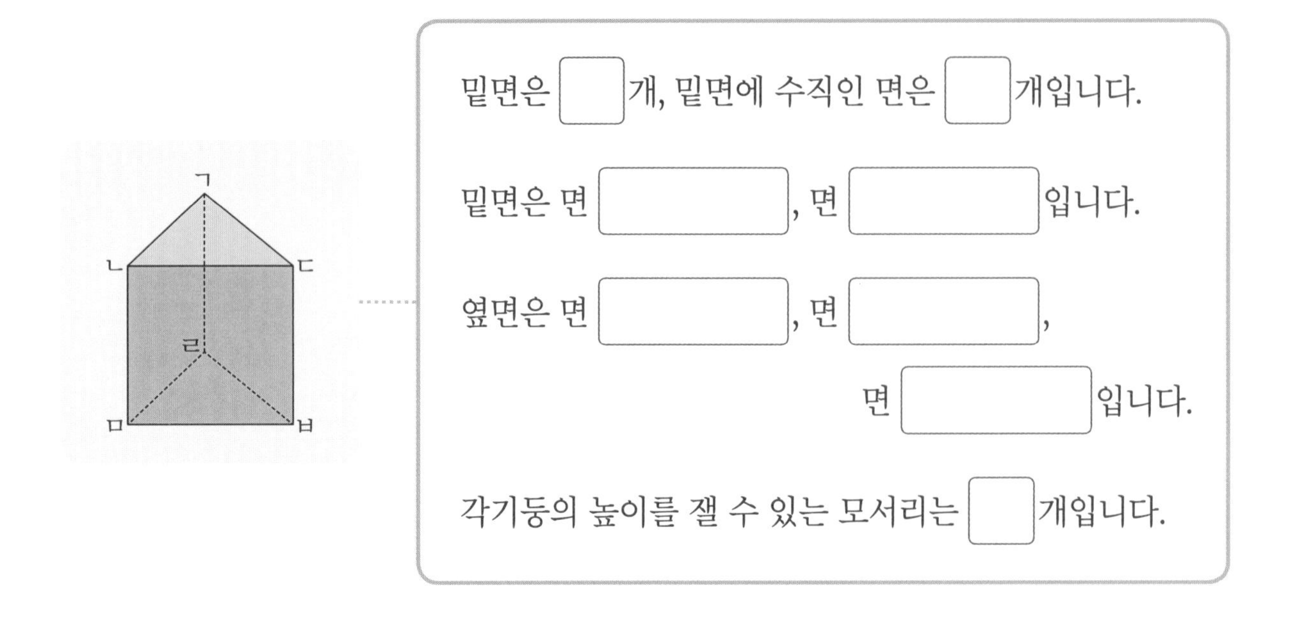

밑면은 ☐개, 밑면에 수직인 면은 ☐개입니다.

밑면은 면 ☐, 면 ☐입니다.

옆면은 면 ☐, 면 ☐, 면 ☐입니다.

각기둥의 높이를 잴 수 있는 모서리는 ☐개입니다.

밑면은 ☐개, 밑면과 만나는 면은 ☐개입니다.

밑면은 면 ☐입니다.

옆면은 면 ☐, 면 ☐, 면 ☐, 면 ☐입니다.

각뿔의 꼭짓점은 점 ☐입니다.

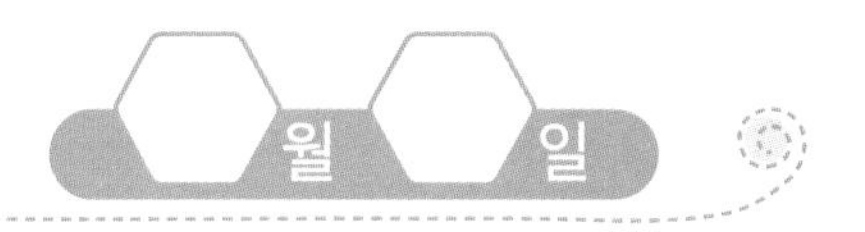

바르게 설명한 것에 ◯표, 잘못 설명한 것에 ×표 하세요.

각기둥의 두 밑면은 서로 합동입니다. ( )

옆면이 2개인 각뿔이 있습니다. ( )

각기둥에서 옆면과 옆면이 만나는 선분의 길이는 높이입니다. ( )

면이 8개인 각기둥은 팔각기둥입니다. ( )

각뿔에서 면의 수와 꼭짓점의 수는 같습니다. ( )

육각뿔의 모서리 수는 삼각뿔의 모서리 수의 2배입니다. ( )

각기둥의 면, 모서리, 꼭짓점 중 꼭짓점의 수가 가장 큽니다. ( )

11 설명에 맞는 각기둥 또는 각뿔의 이름을 써 보세요.

- 면의 수는 9개입니다.
- 옆면은 7개입니다.
- 옆면은 모두 직사각형입니다.

( )

- 밑면은 1개입니다.
- 옆면은 모두 삼각형입니다.
- 옆면은 6개입니다.

( )

- 밑면의 모양은 오각형입니다.
- 모서리는 10개입니다.
- 면은 6개입니다.

( )

- 면은 7개입니다.
- 꼭짓점은 10개입니다.
- 모서리는 15개입니다.

( )

- 모서리는 14개입니다.
- 면과 꼭짓점의 수가 같습니다.
- 면은 8개입니다.

( )

- 면은 10개입니다.
- 꼭짓점은 면보다 6개 더 많습니다.

( )

2주차
06~10일

각기둥의 전개도

06일 전개도 찾기

1 왼쪽 각기둥의 모서리를 잘라서 펼쳐 놓은 그림이 아닌 것에 ×표 하세요.

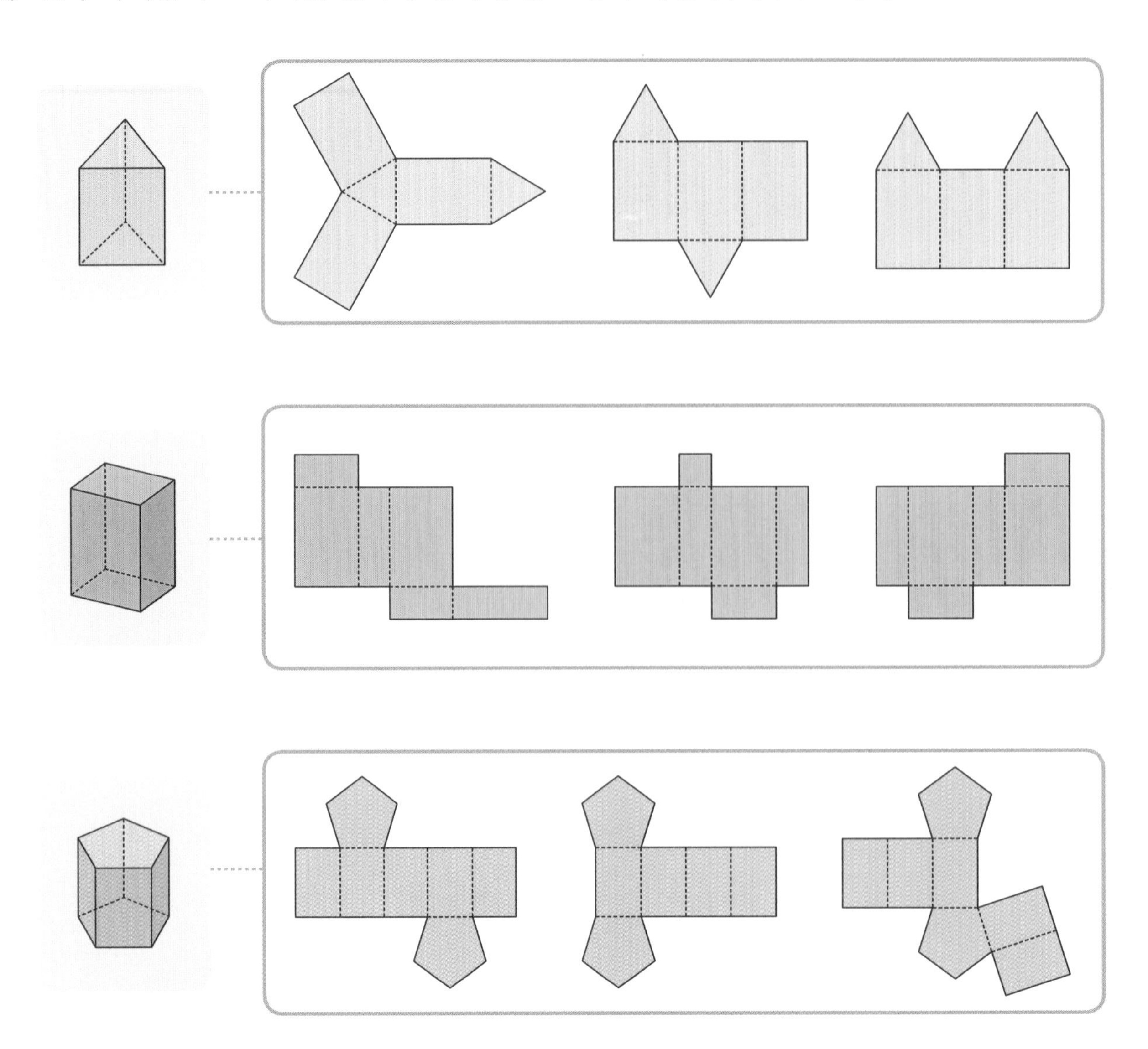

각기둥의 전개도

각기둥의 모서리를 잘라서 평면 위에 펼쳐 놓은 그림을 각기둥의 전개도라고 합니다.

각기둥의 전개도는 **밑면의 모양**과 **옆면의 수**를 살펴보는 것이 중요합니다.

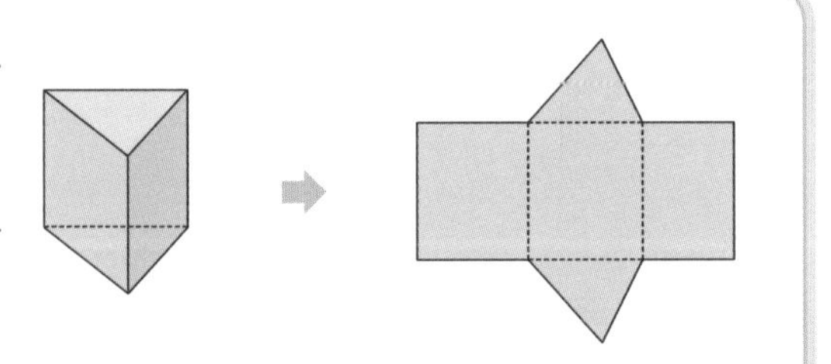

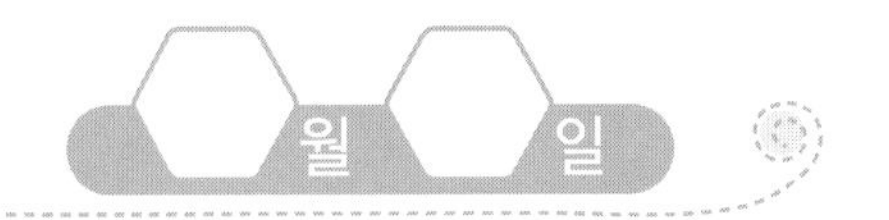

11 전개도를 접었을 때 각기둥이 만들어지는 것에 모두 ○표 하고, 만들어지는 각기둥의 이름을 써 보세요.

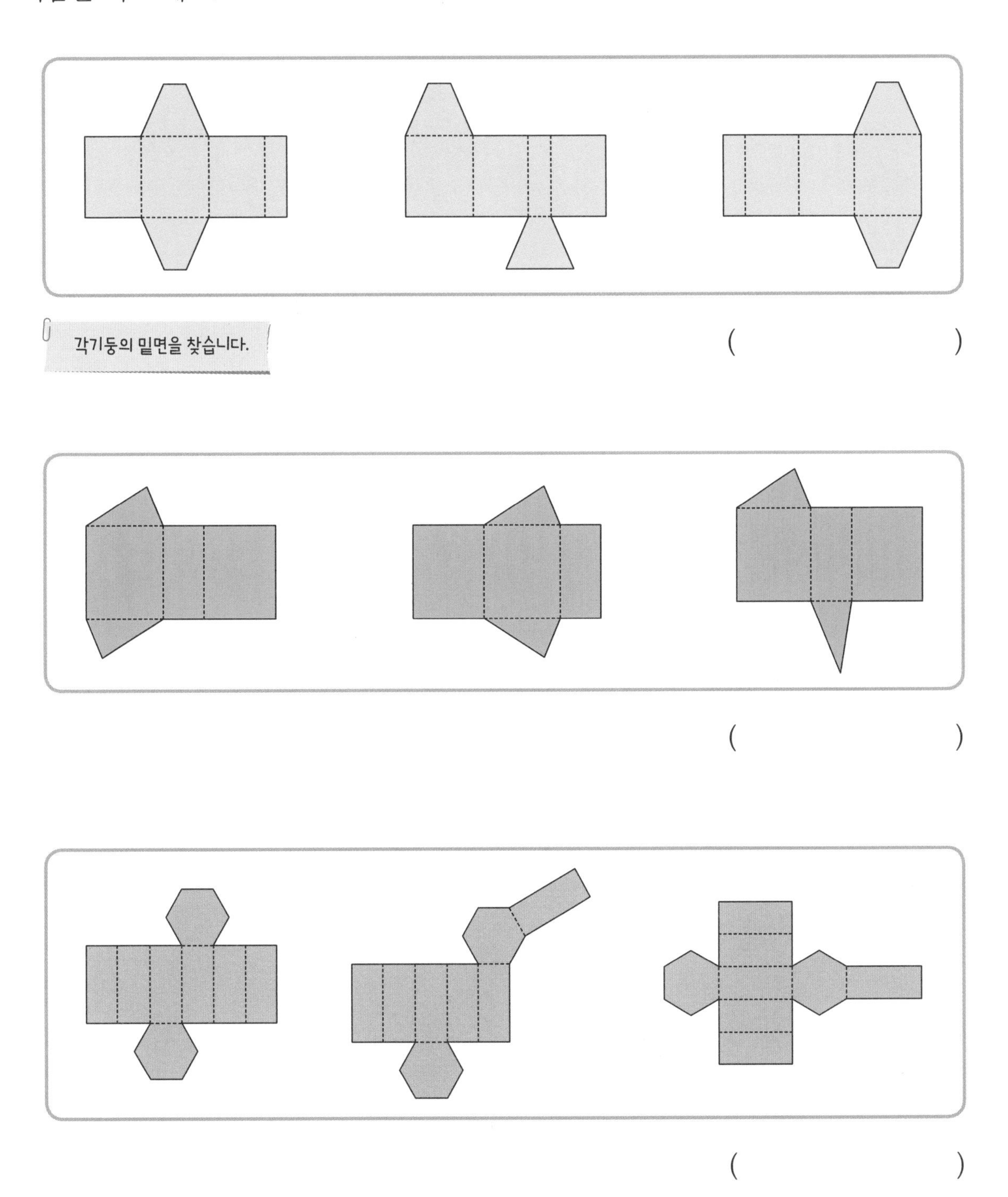

07일 맞닿는 선분과 만나는 면

전개도를 접었을 때 주어진 선분과 맞닿는 선분을 찾아 써 보세요.

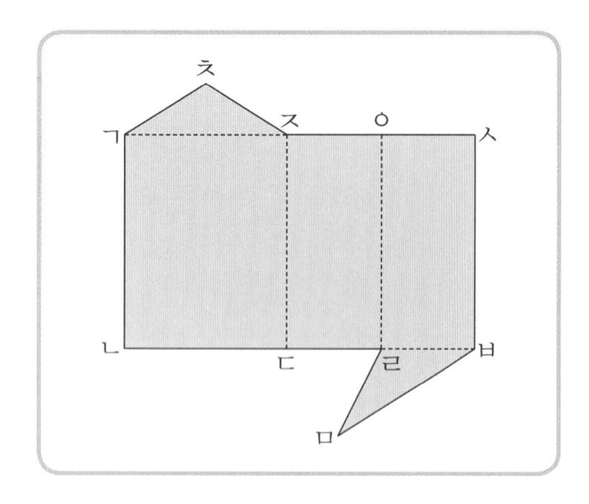

선분 ㅊㅈ — (　　　　　　　　　)

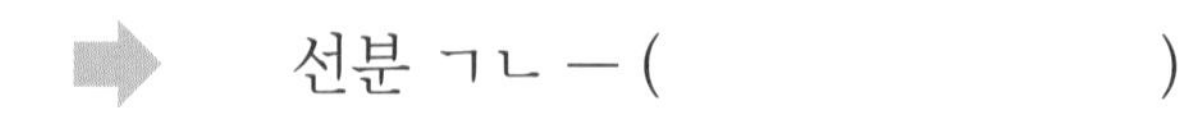

선분 ㄱㄴ — (　　　　　　　　　)

선분 ㅁㅂ — (　　　　　　　　　)

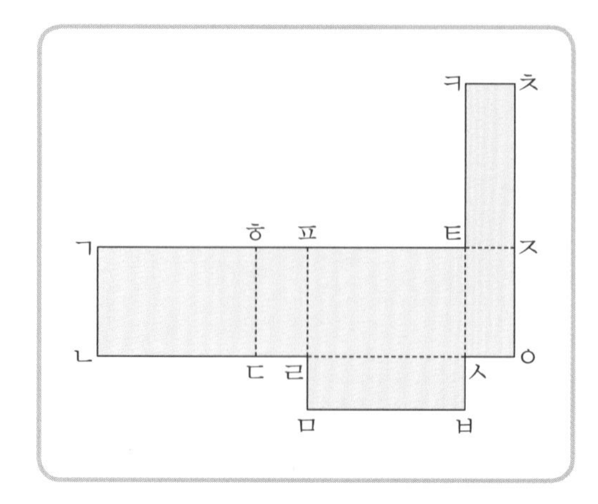

선분 ㄷㄹ — (　　　　　　　　　)

선분 ㅋㅊ — (　　　　　　　　　)

선분 ㅈㅇ — (　　　　　　　　　)

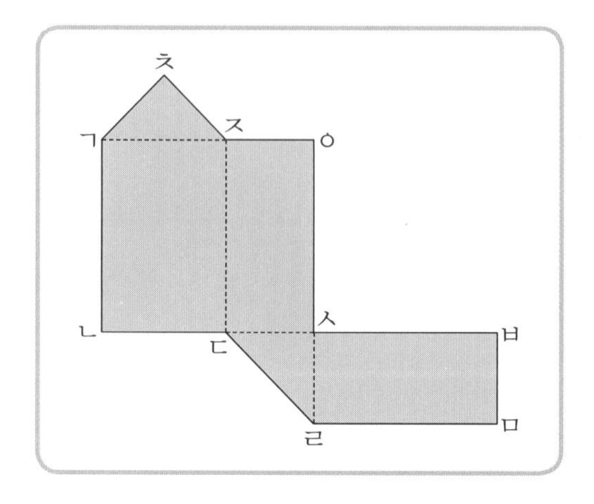

선분 ㅇㅅ — (　　　　　　　　　)

선분 ㄹㅁ — (　　　　　　　　　)

선분 ㄱㅊ — (　　　　　　　　　)

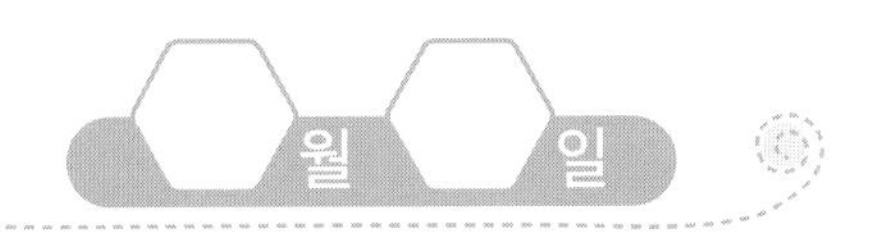

전개도를 접었을 때 주어진 면과 만나는 면을 모두 찾아 써 보세요.

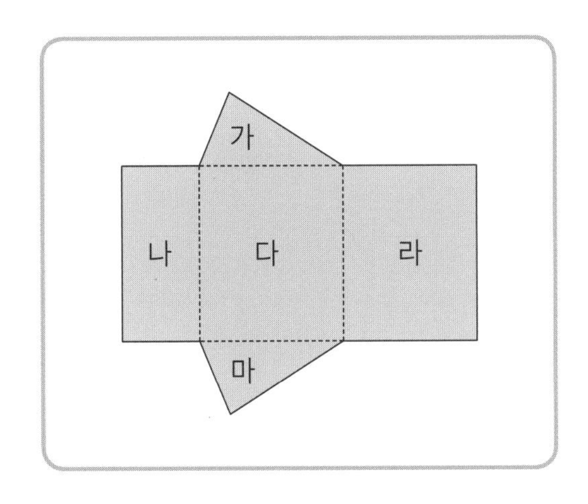

면 가와 만나는 면

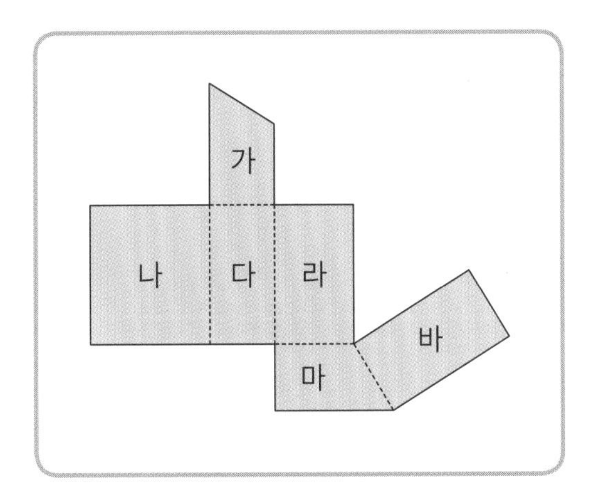

면 마와 만나는 면

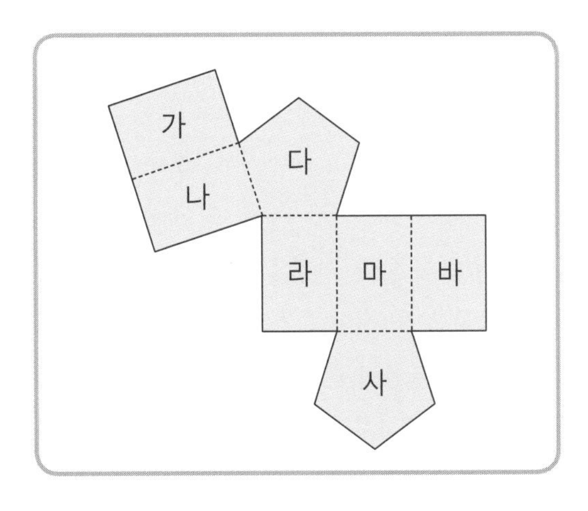

면 사와 만나는 면

08일 모서리의 길이 (1)

1 전개도를 접어서 각기둥을 만들었습니다. 빈칸에 알맞은 수를 써넣으세요.

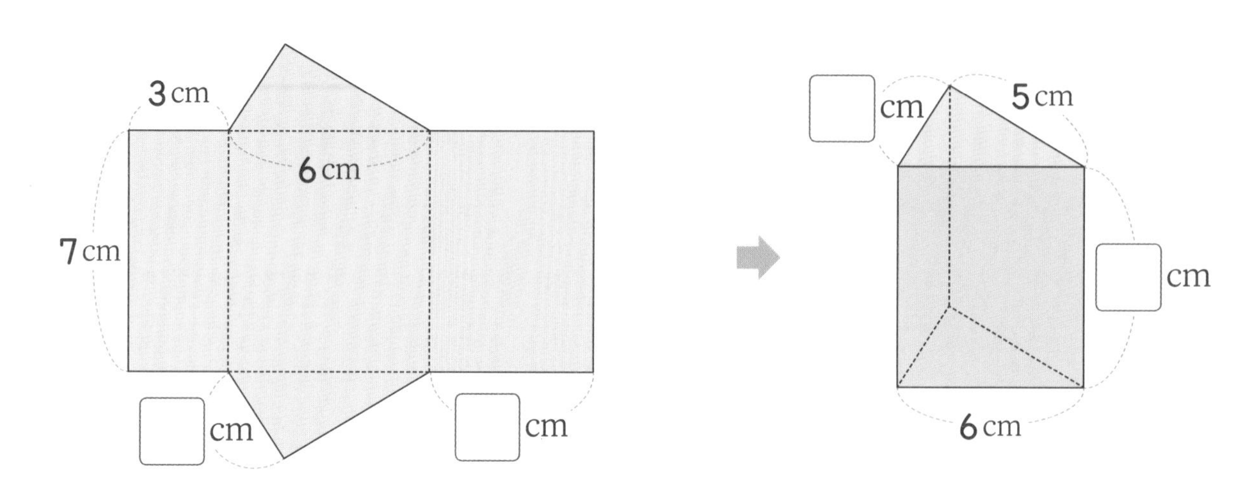

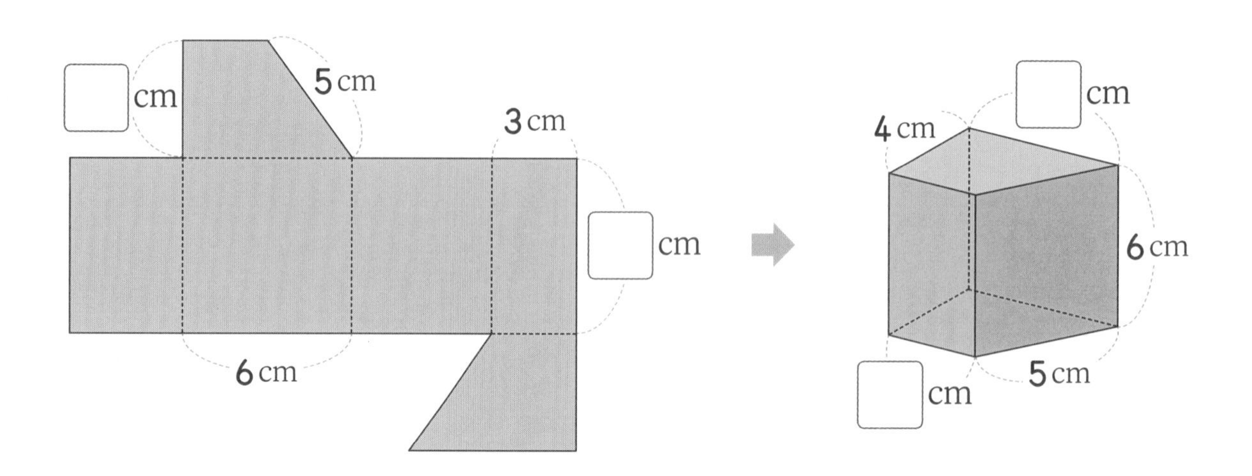

각기둥의 모서리 길이의 합

각기둥의 모든 모서리 길이의 합은 **한 밑면의 모서리 합의 2배**와 **높이를 나타내는 모서리의 합**을 더합니다.

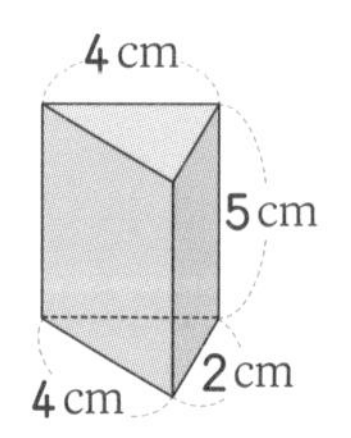

한 밑면의 모서리 합: $4+4+2=10$(cm)
높이를 나타내는 모서리 합: $5\times3=15$(cm)
➡ 삼각기둥의 모서리 합:
$(4+4+2)\times2+5\times3=35$(cm)

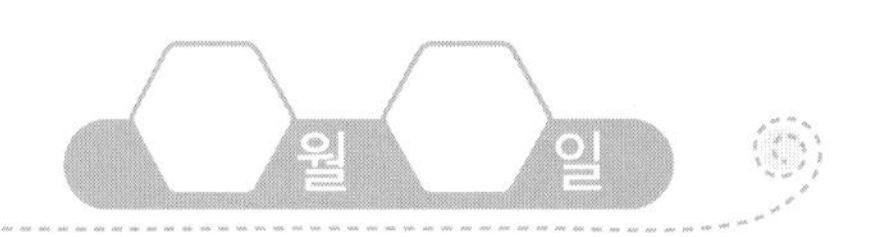

전개도를 접었을 때 만들어지는 각기둥의 모든 모서리 길이의 합을 구해 보세요.

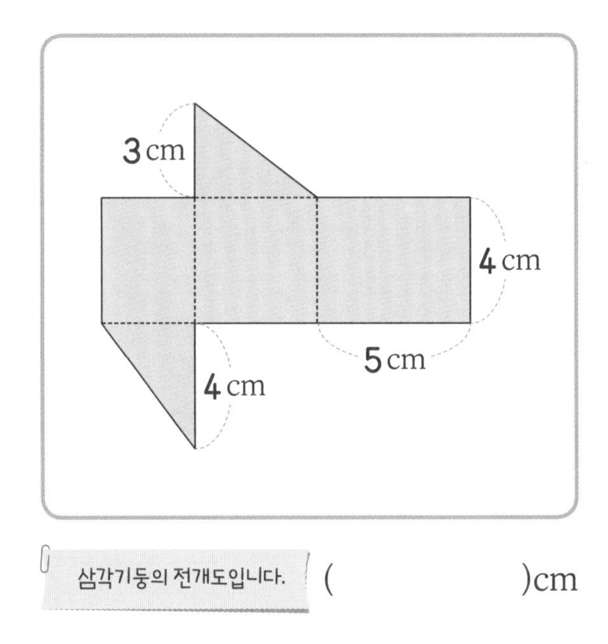

삼각기둥의 전개도입니다.

(　　　　　　)cm

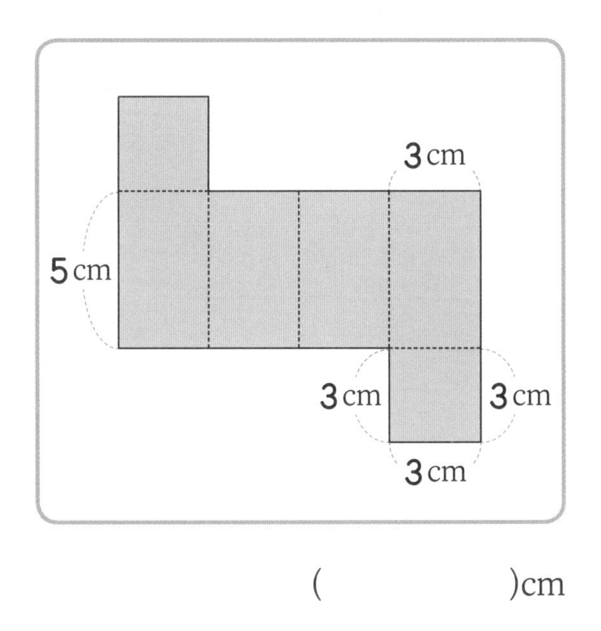

(　　　　　　)cm

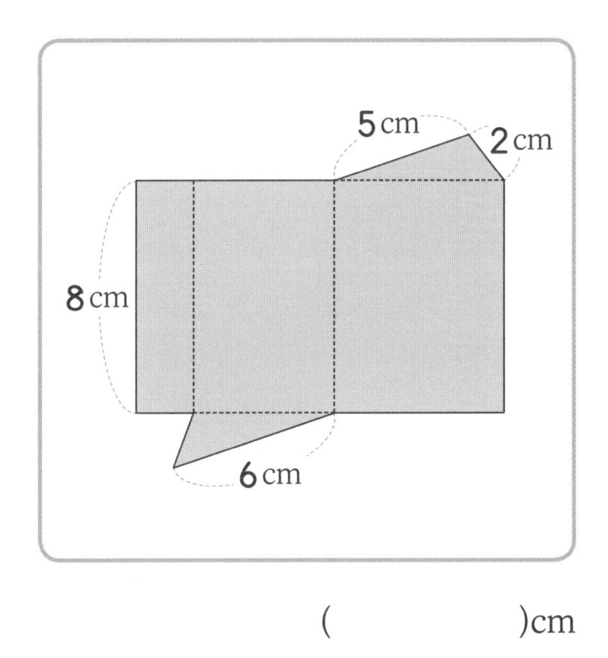

(　　　　　　)cm

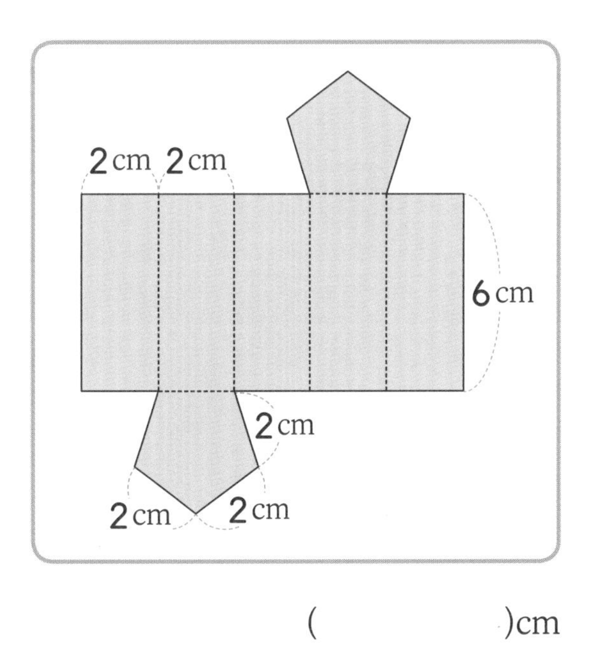

(　　　　　　)cm

모서리의 길이 (2)

물음에 답하세요.

밑면이 정다각형인 각기둥의 전개도입니다. 전개도를 접었을 때 만들어지는 각기둥의 모든 모서리 길이의 합은 몇 cm일까요?

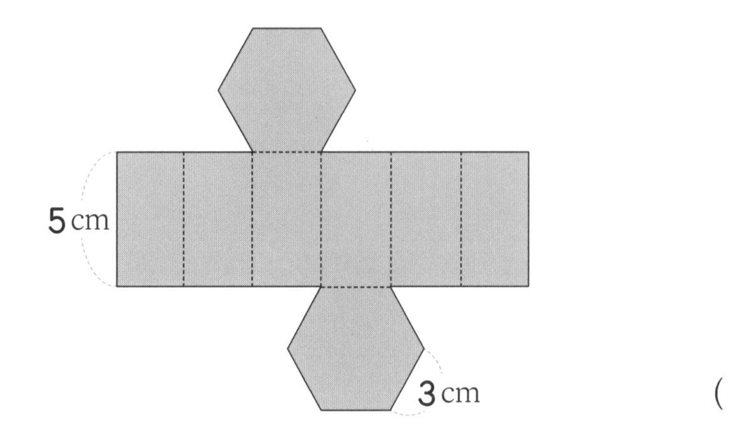

(　　　　　)cm

밑면이 다음과 같은 정오각형이고, 높이가 7cm인 각기둥의 모든 모서리 길이의 합은 몇 cm일까요?

(　　　　　)cm

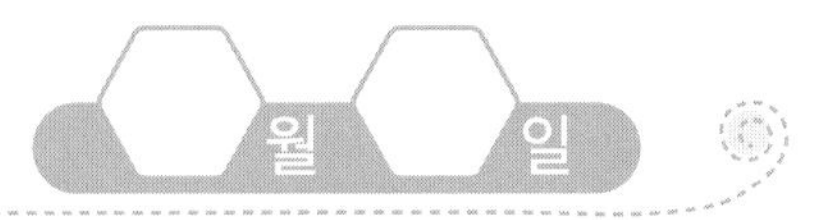

물음에 답하세요.

전개도를 접었을 때 만들어지는 각기둥에 대한 설명입니다. 각기둥의 밑면의 한 변의 길이는 몇 cm일까요?

- 각기둥의 밑면은 정삼각형입니다.
- 각기둥의 높이는 7 cm입니다.
- 각기둥의 모든 모서리 길이의 합은 51 cm입니다.

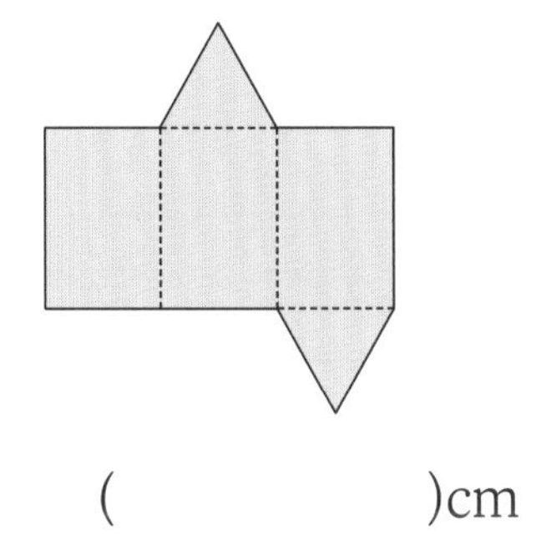

(　　　　　)cm

전개도를 접었을 때 만들어지는 각기둥에 대한 설명입니다. 각기둥의 높이는 몇 cm일까요?

- 각기둥의 옆면은 모두 합동입니다.
- 각기둥의 밑면의 한 변의 길이는 2 cm입니다.
- 각기둥의 모든 모서리 길이의 합은 60 cm입니다.

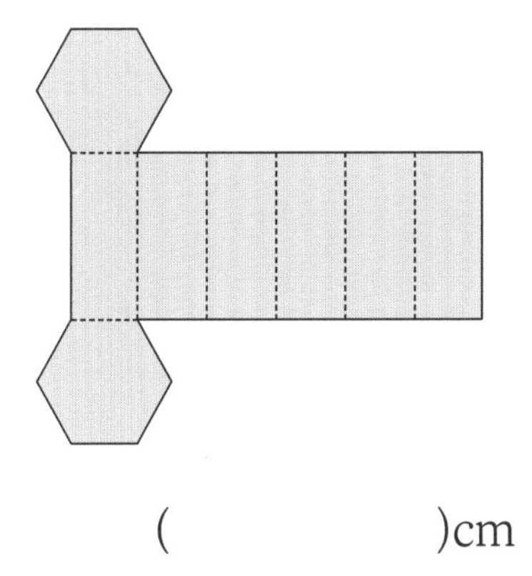

(　　　　　)cm

10일 전개도 그리기

밑면을 그려 각기둥의 전개도를 완성해 보세요.

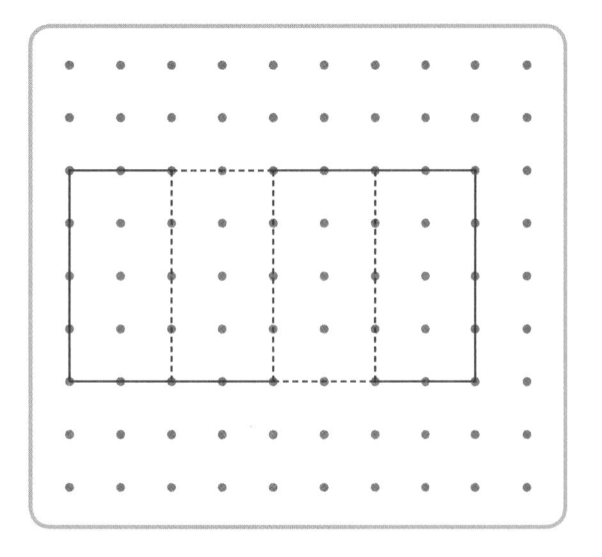

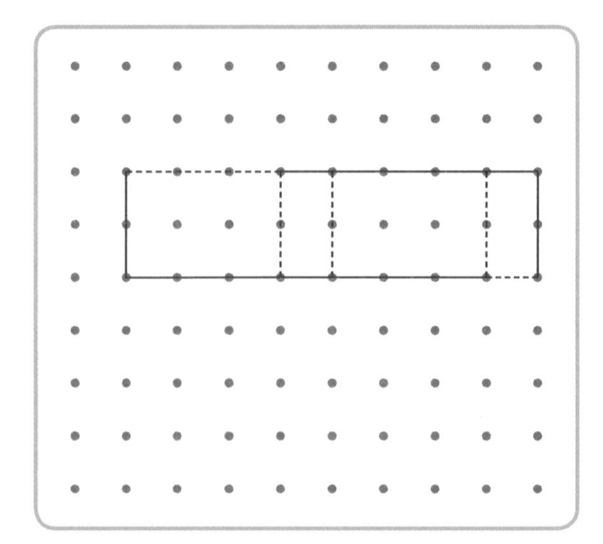

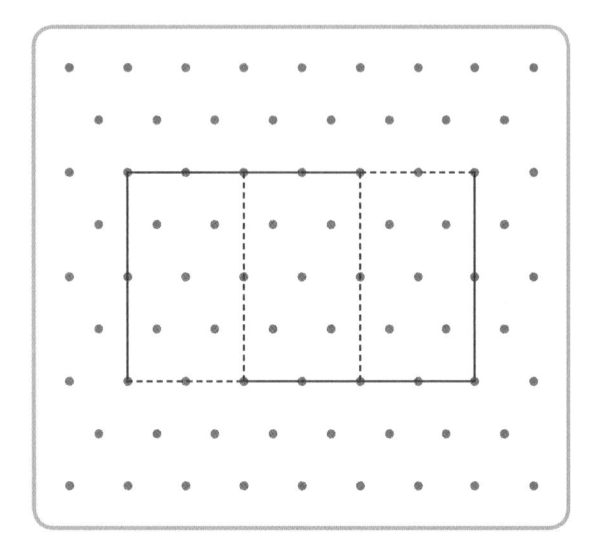

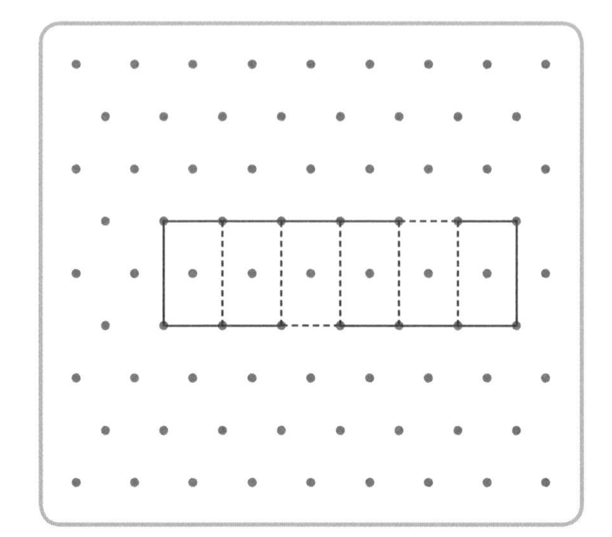

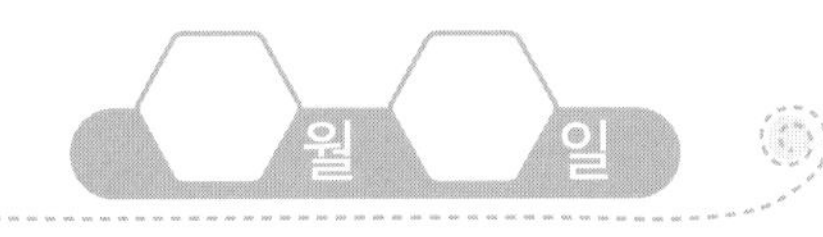

11 각기둥의 전개도를 완성해 보세요.

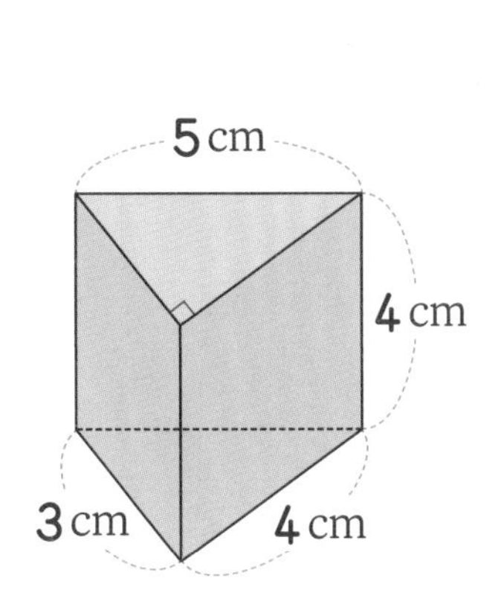

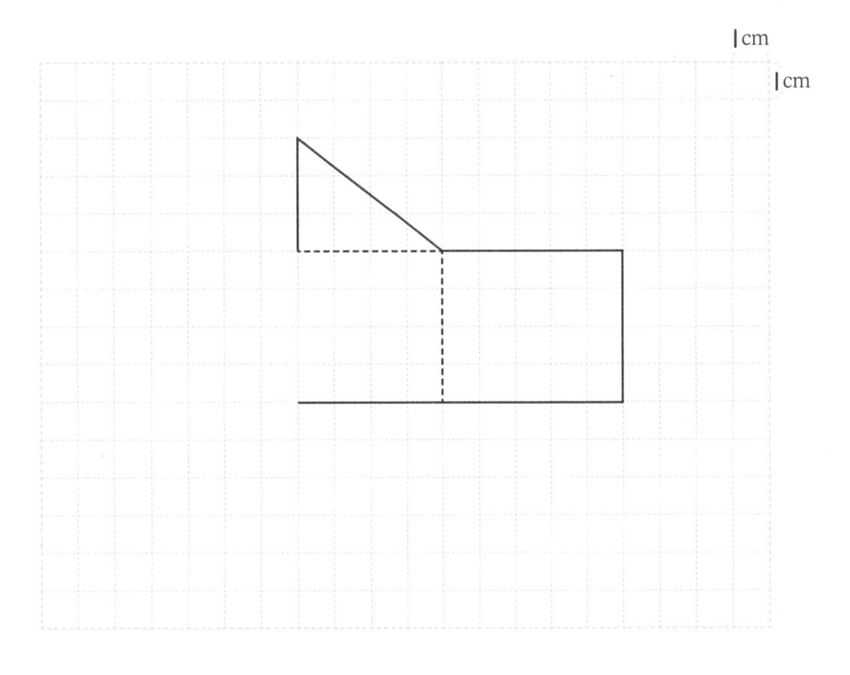

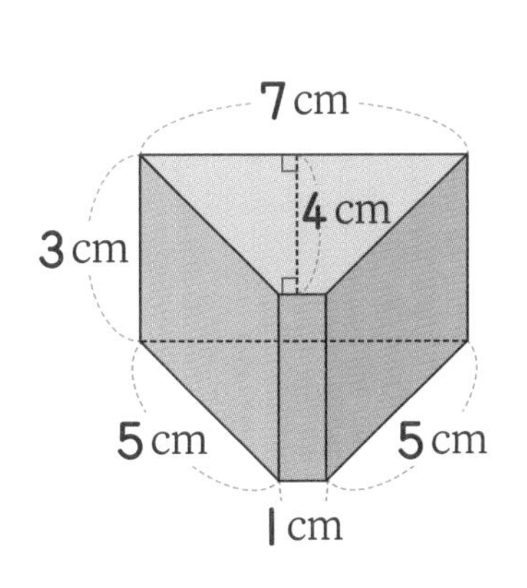

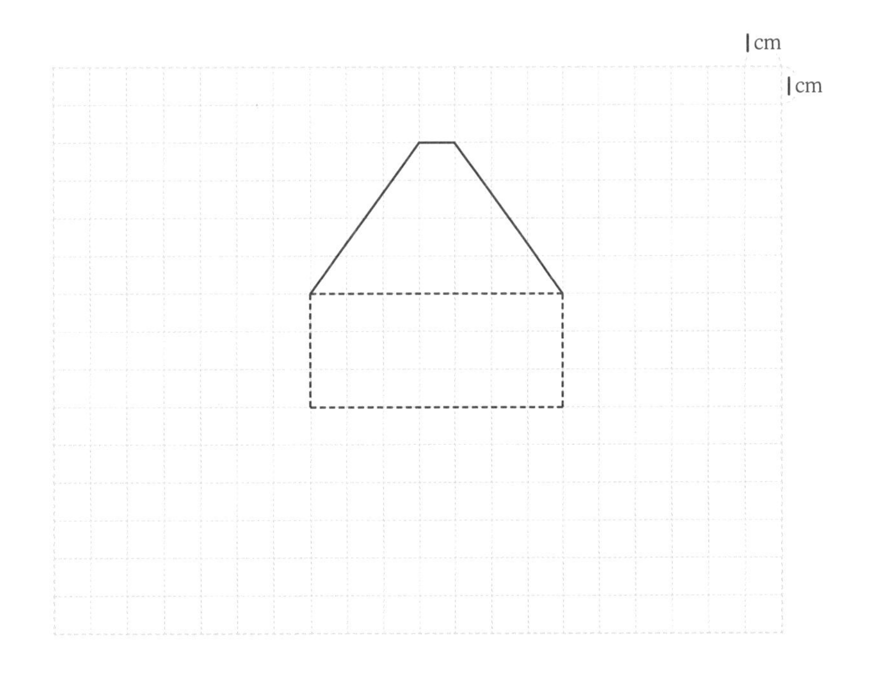

11 밑면이 다음과 같고 높이가 3 cm인 사각기둥의 전개도를 서로 다른 모양으로 2개 그려 보세요.

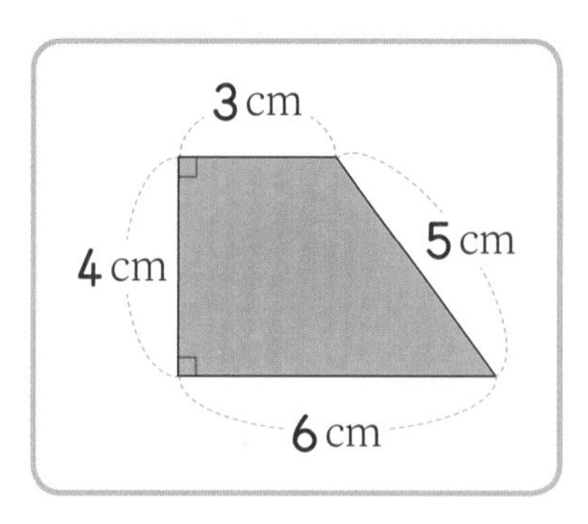

3주차
11~15일

직육면체의 부피

11일 1cm³

쌓기나무 1개의 부피가 1 cm³입니다. 쌓기나무의 수를 세어 직육면체의 부피를 구해 보세요.

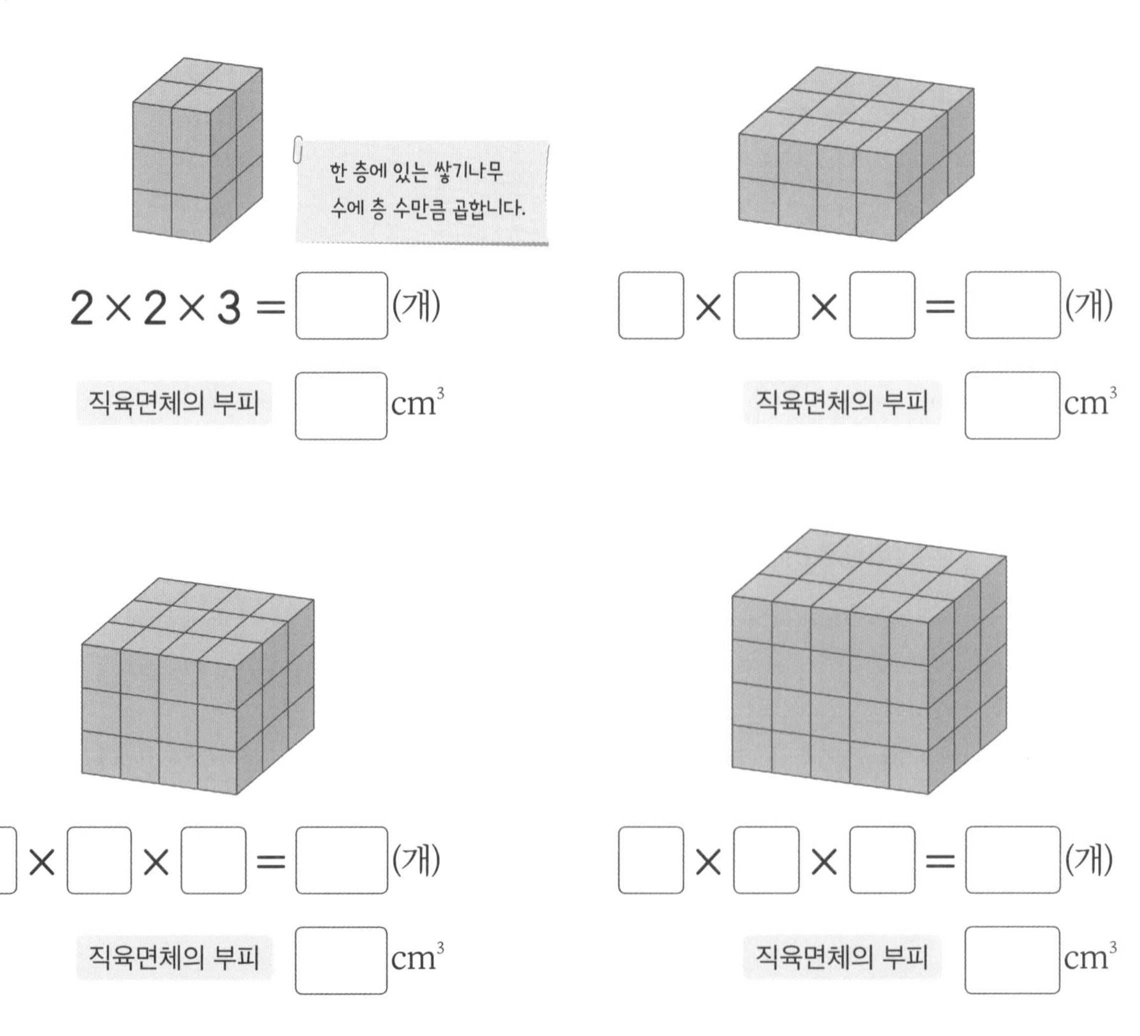

부피의 단위

한 모서리의 길이가 1 cm인 정육면체의 부피를 단위로 사용할 수 있습니다.
이 정육면체의 부피를 1 cm³라 쓰고, 1 세제곱센티미터라고 읽습니다.

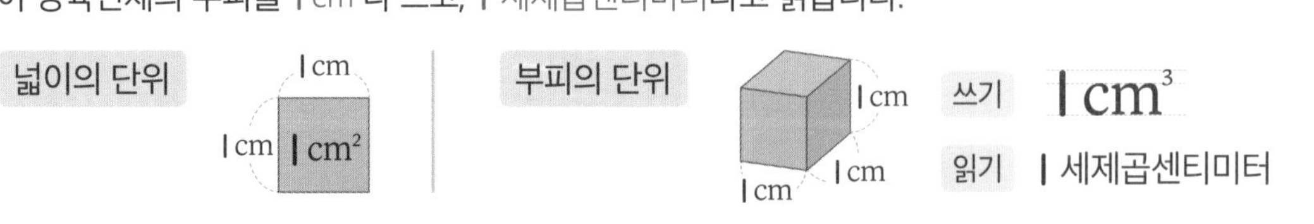

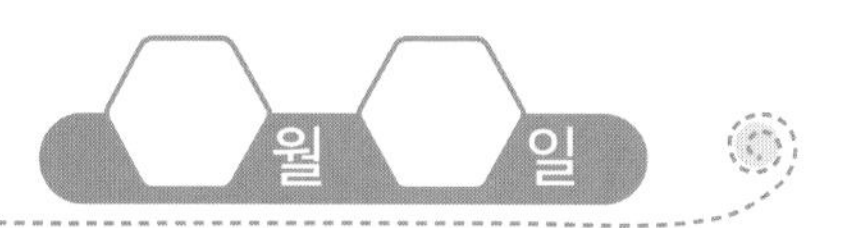

부피가 1 cm^3인 쌓기나무를 직육면체 모양으로 쌓았습니다. 직육면체의 부피를 구하고, 빈칸에 알맞은 수를 써넣으세요.

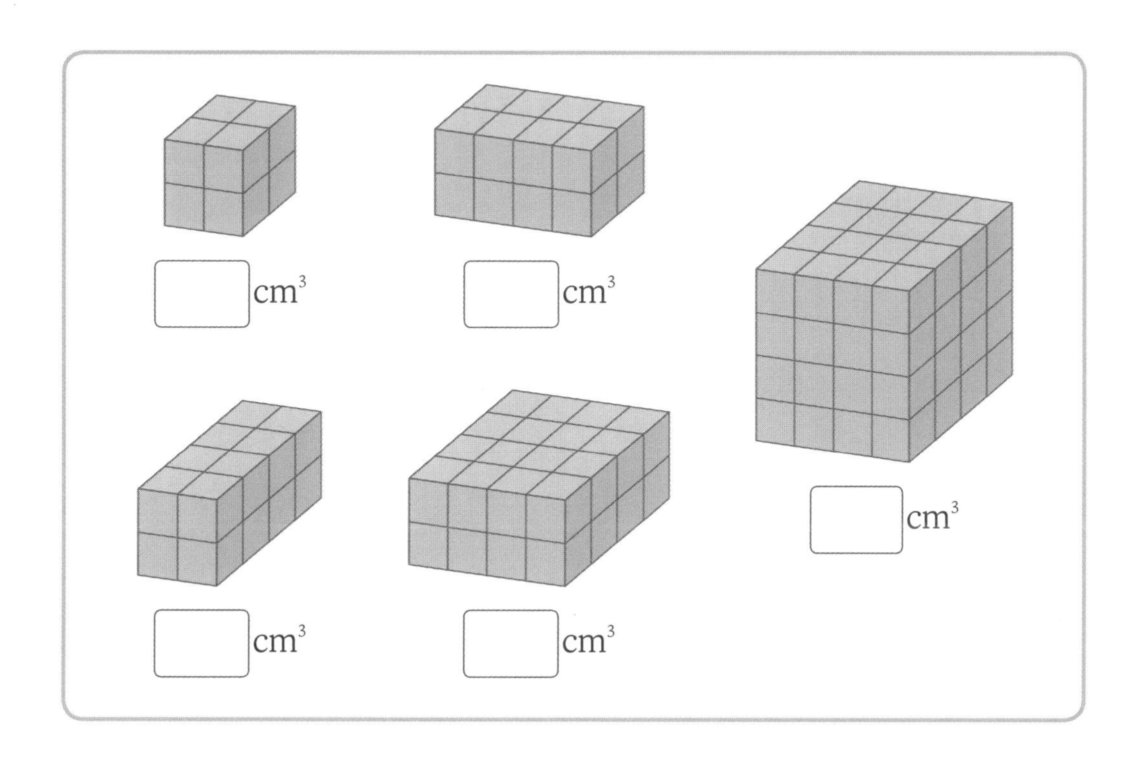

직육면체의 가로가 2배 길어지면 부피는 ☐배 커집니다.

직육면체의 세로가 2배 길어지면 부피는 ☐배 커집니다.

직육면체의 가로와 세로가 각각 2배씩 길어지면 부피는 ☐배 커집니다.

직육면체의 가로, 세로, 높이가 각각 2배씩 길어지면 부피는 ☐배 커집니다.

12일 직육면체의 부피

1. 직육면체의 부피를 구해 보세요.

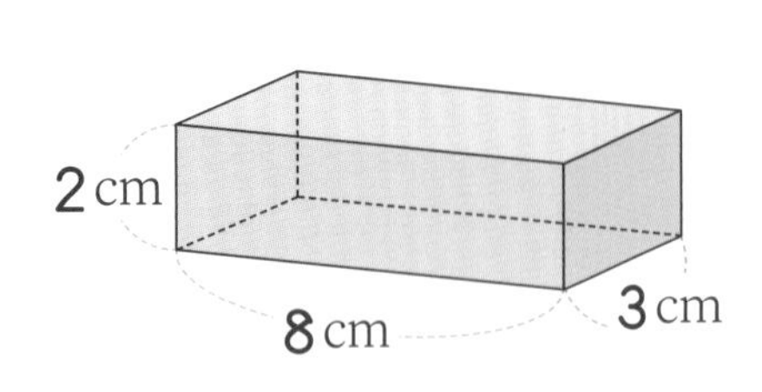

□ × □ × □ = □ (cm^3)

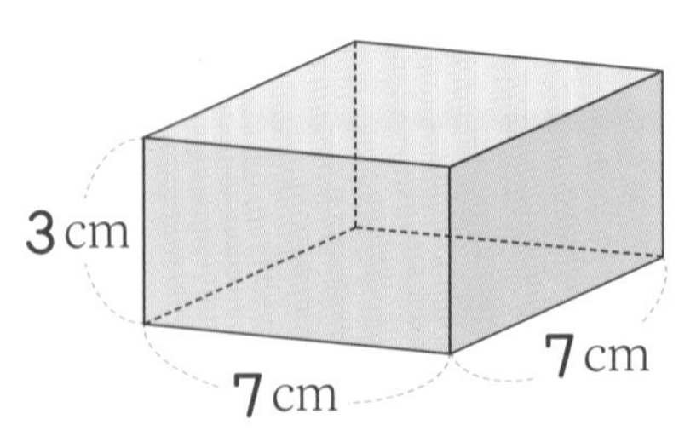

□ × □ × □ = □ (cm^3)

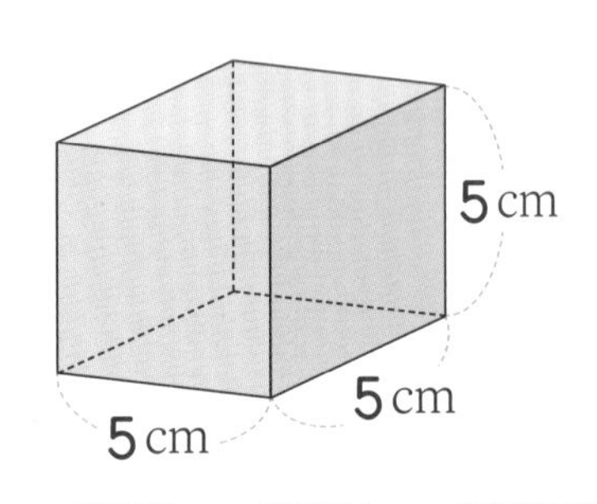

□ × □ × □ = □ (cm^3)

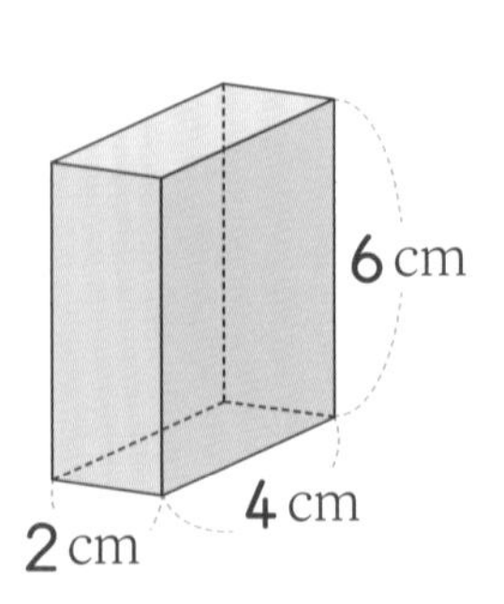

□ × □ × □ = □ (cm^3)

직육면체의 부피

부피가 1 cm^3인 쌓기나무를 사용하여 직육면체의 부피를 구할 수 있습니다.

직육면체의 부피 = 가로 × 세로 × 높이 = 밑면의 넓이 × 높이

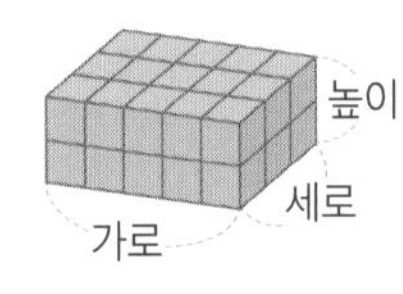

쌓기나무가 가로에 5개, 세로에 3개, 높이에 2개 있습니다.

➡

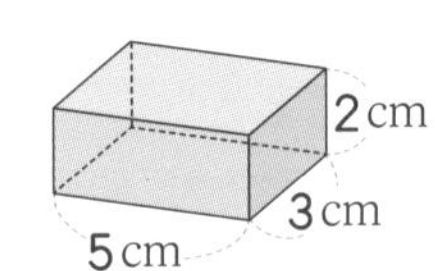

$5 \times 3 \times 2 = 30$, 직육면체의 부피는 30 cm^3입니다.

정육면체는 가로, 세로, 높이가 모두 같습니다.

정육면체의 부피 = 한 모서리의 길이 × 한 모서리의 길이 × 한 모서리의 길이

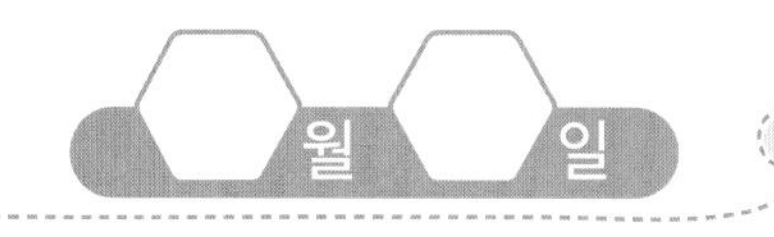

11 직육면체의 부피가 큰 것부터 차례로 기호를 써 보세요.

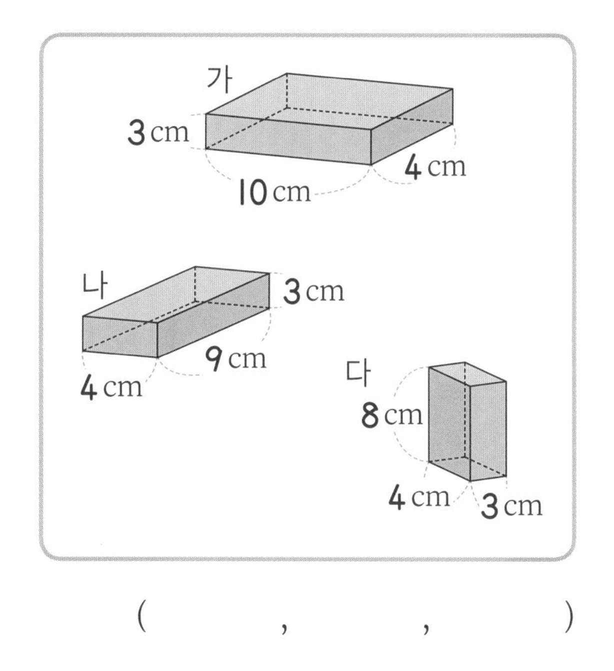

(, ,)

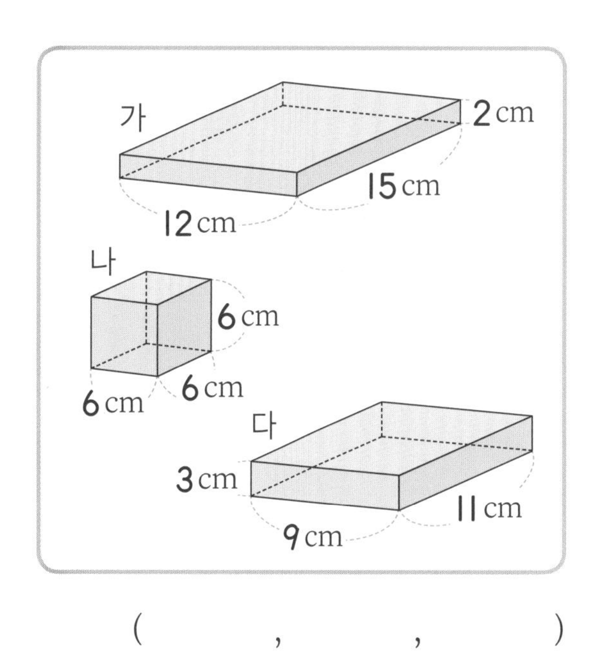

(, ,)

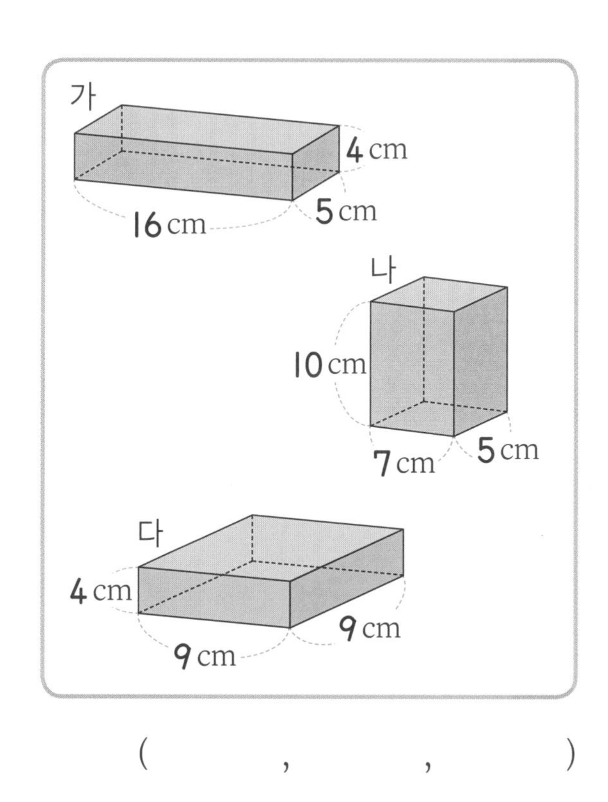

(, ,)

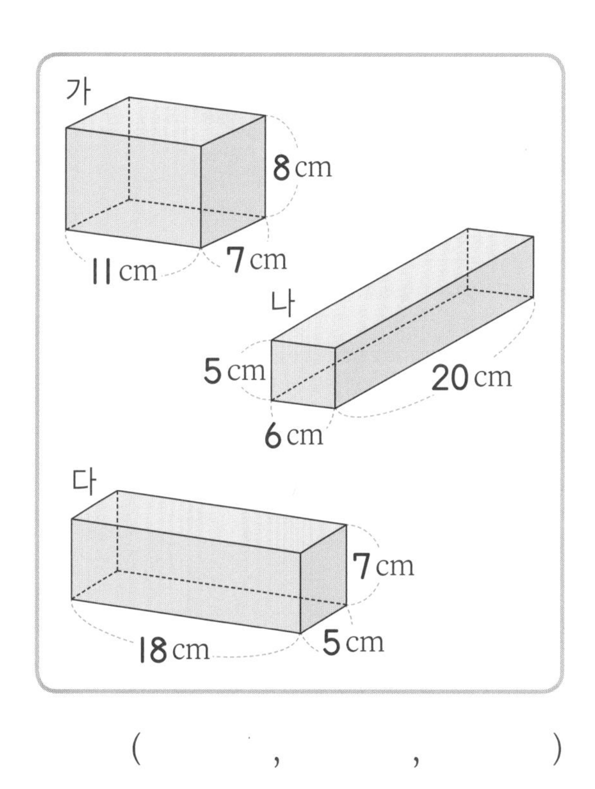

(, ,)

13일 가로, 세로, 높이

11 직육면체의 부피가 다음과 같습니다. 빈칸에 알맞은 수를 써넣으세요.

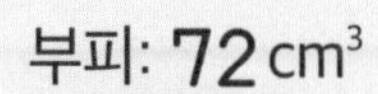

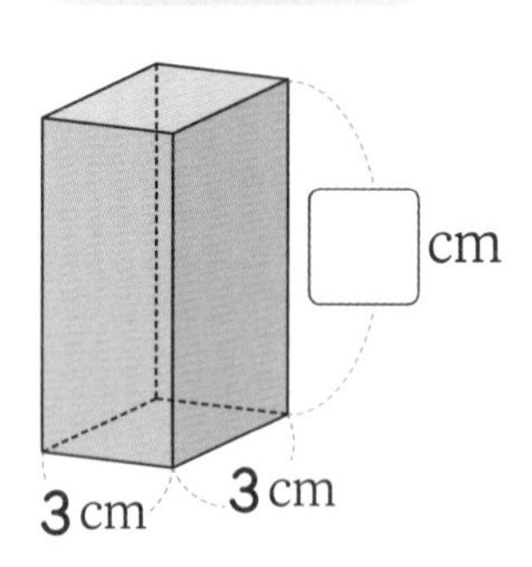

부피: 96 cm³

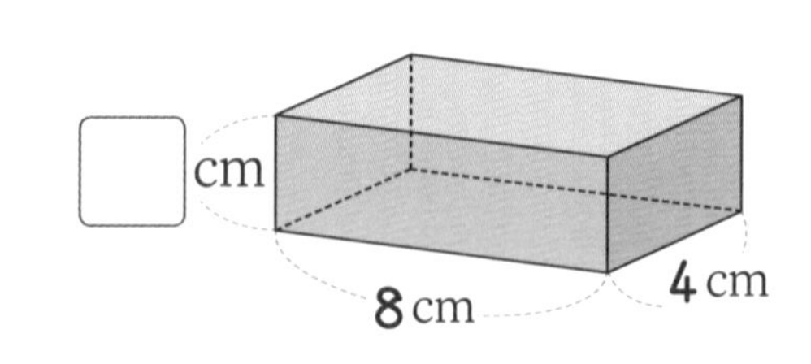

부피: 144 cm³

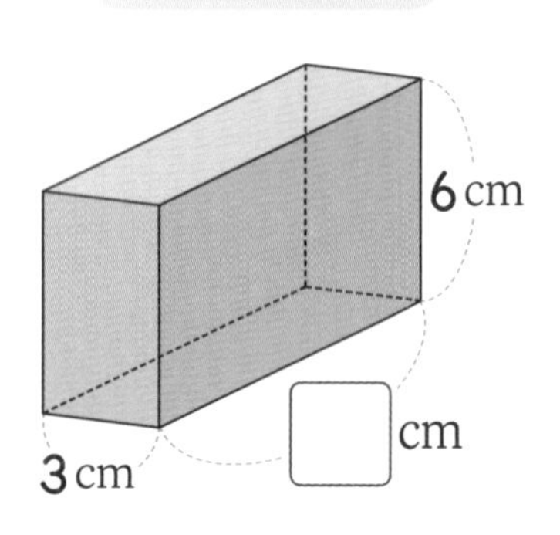

부피: 90 cm³

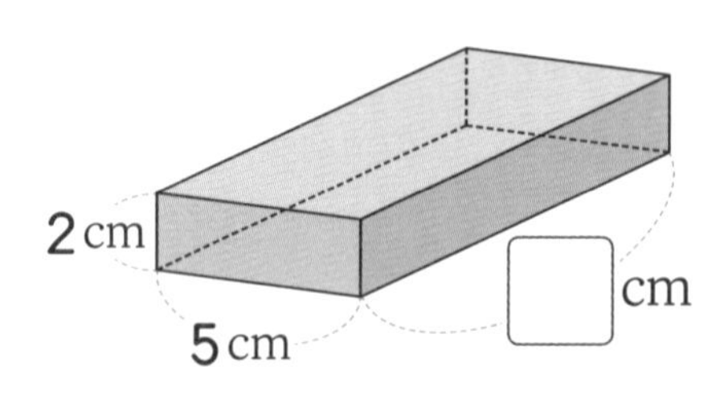

부피: 140 cm³

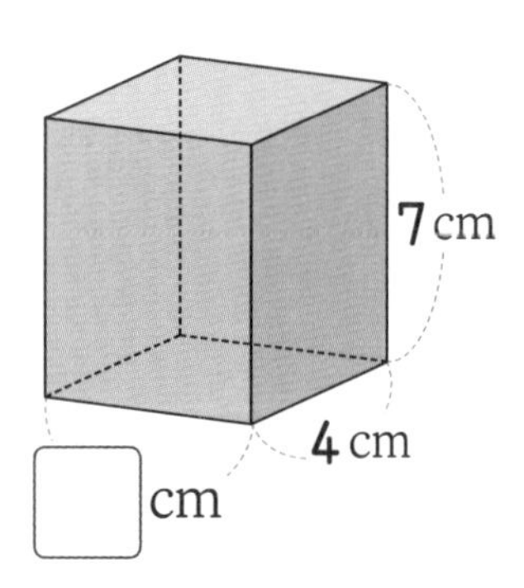

부피: 120 cm³

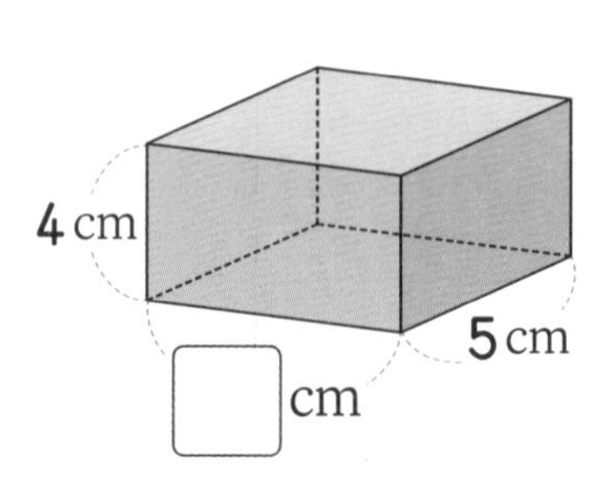

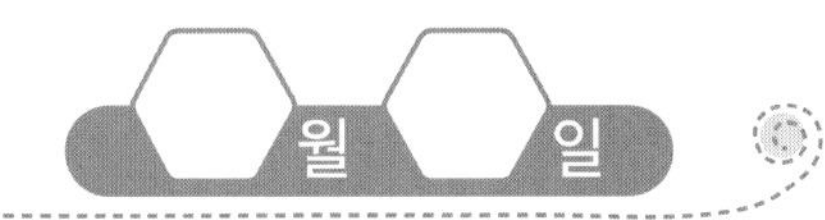

11 두 직육면체의 부피가 서로 같습니다. 빈칸에 알맞은 수를 써넣으세요.

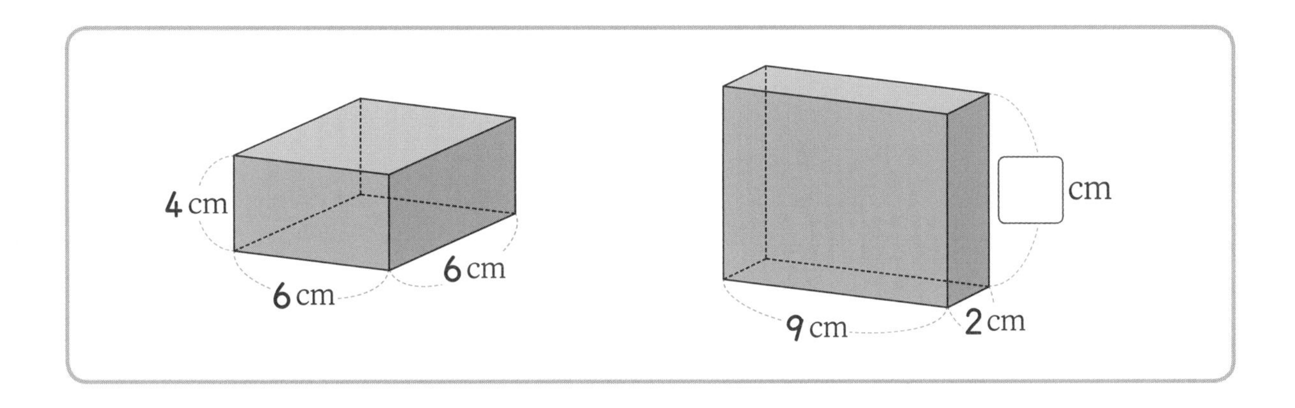

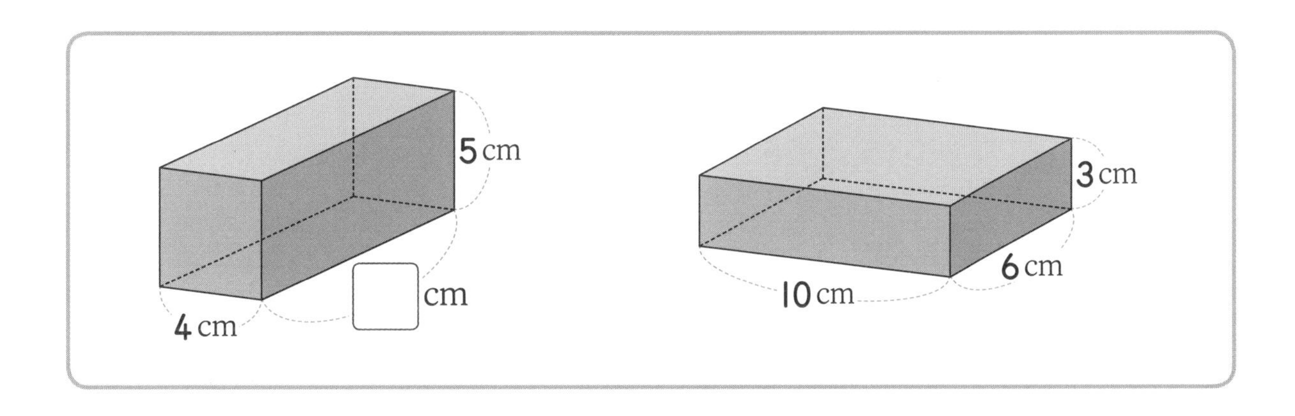

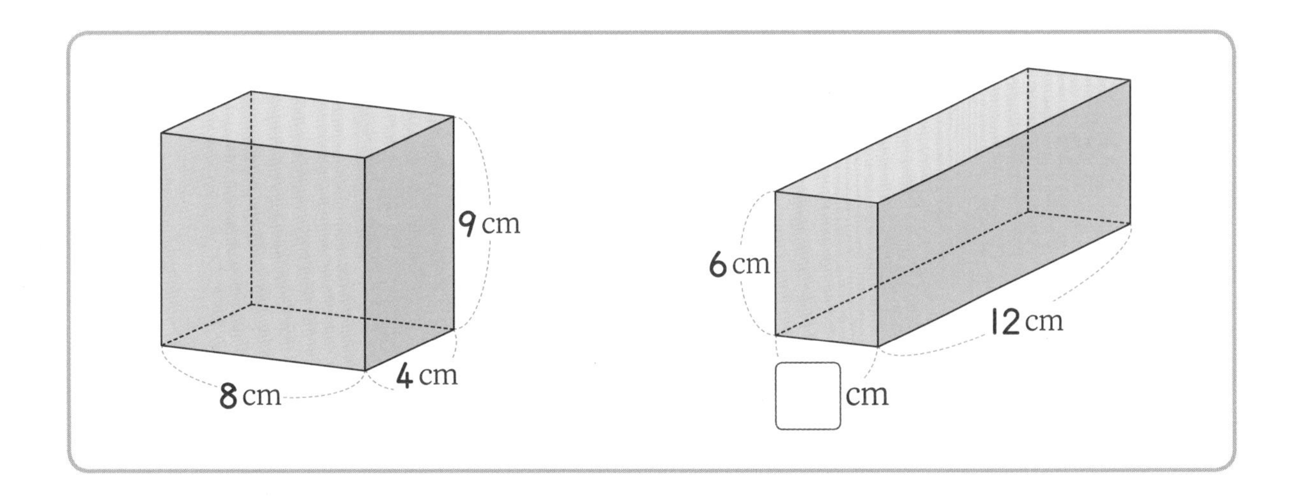

입체도형의 부피

1 부피가 1 cm^3인 쌓기나무로 쌓은 입체 모양입니다. 입체 모양의 부피를 구해 보세요.

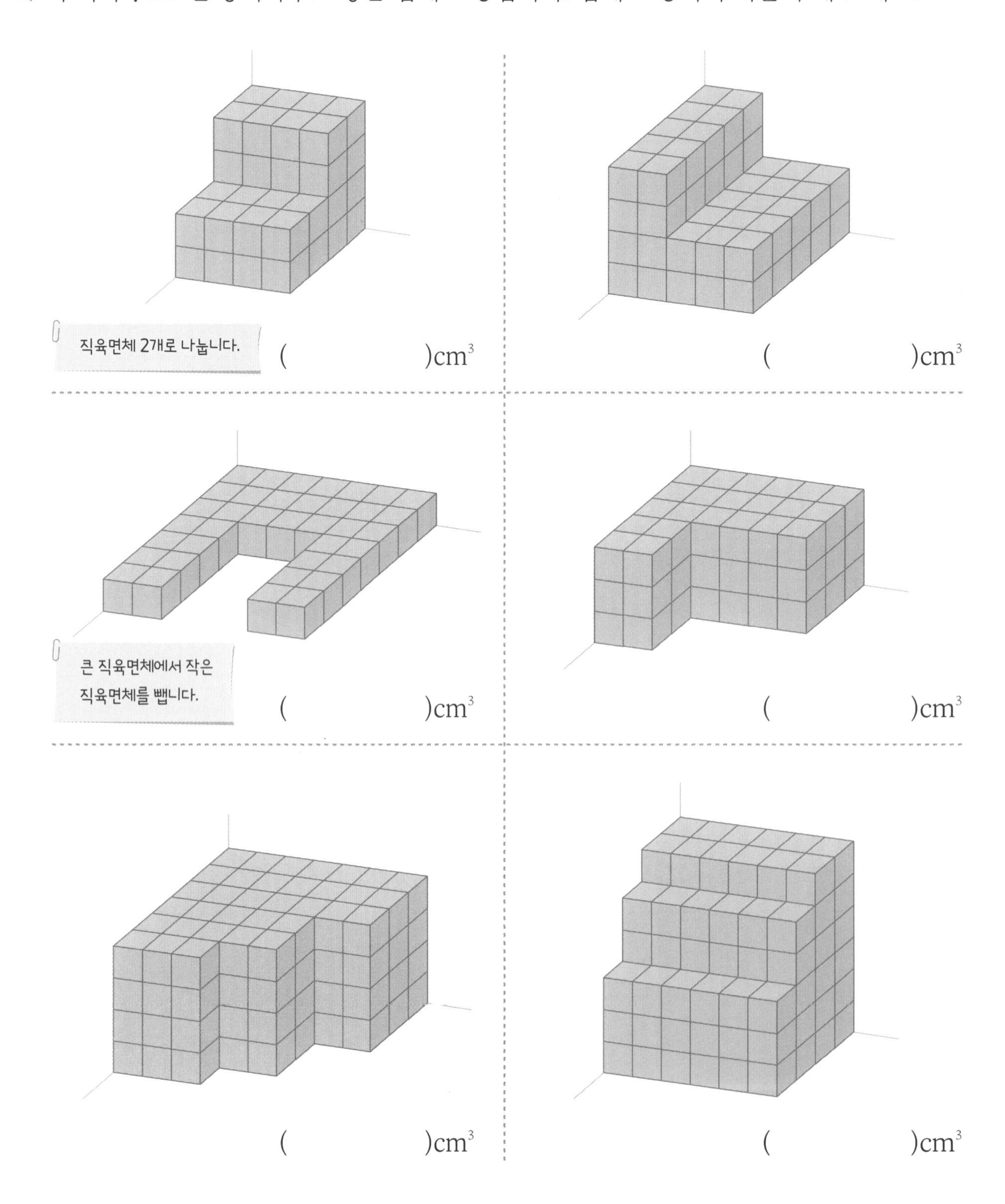

직육면체 2개로 나눕니다.
( )cm³
( )cm³
큰 직육면체에서 작은 직육면체를 뺍니다.
( )cm³
( )cm³
( )cm³
( )cm³

입체도형의 부피를 구해 보세요.

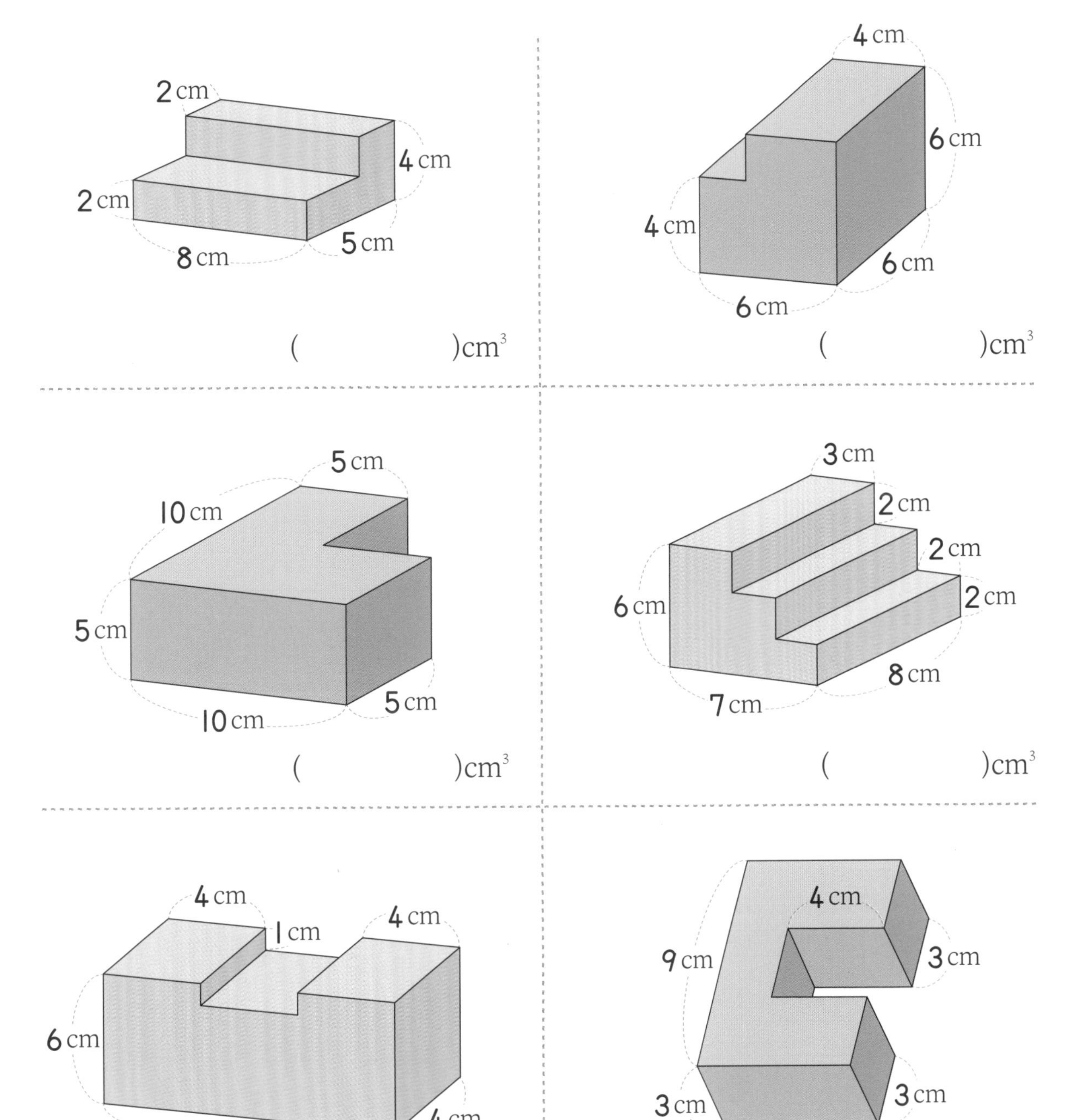

15일 부피 구하기

물음에 답하세요.

한 모서리의 길이가 9 cm인 정육면체의 부피는 몇 cm^3일까요?

정육면체의 한 면의 넓이가 49 cm^2입니다. 이 정육면체의 부피는 몇 cm^3일까요?

모든 모서리 길이의 합이 120 cm인 정육면체가 있습니다. 이 정육면체의 부피는 몇 cm^3일까요?

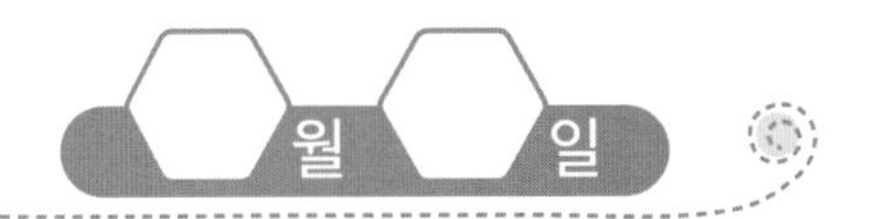

물음에 답하세요.

직육면체 모양의 두부를 잘라서 정육면체 모양으로 만들려고 합니다. 만들 수 있는 가장 큰 정육면체 모양의 한 변의 길이와 부피는 각각 얼마일까요?

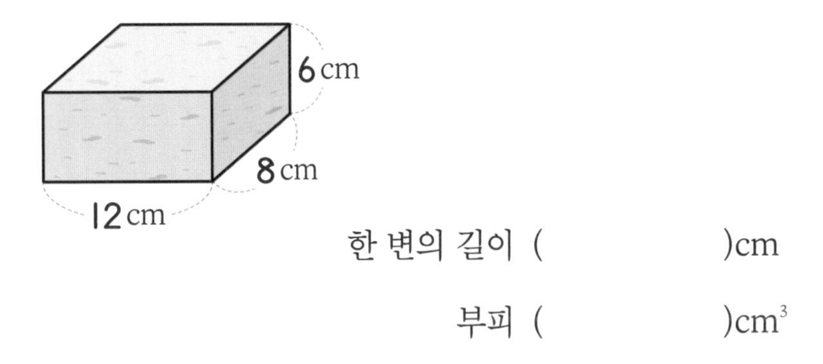

한 변의 길이 (   )cm

부피 (   )cm^3

세 면이 다음과 같은 직육면체의 부피는 몇 cm^3일까요?

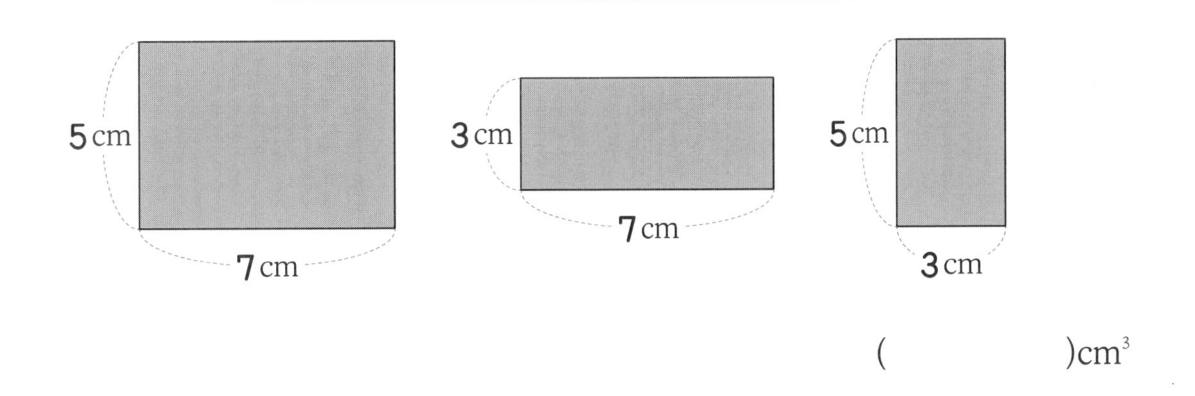

(   )cm^3

물음에 답하세요.

직육면체 모양의 수조에 돌을 넣었더니 물의 높이가 다음과 같이 늘어났습니다. 수조에 넣은 돌의 부피는 몇 cm^3일까요?

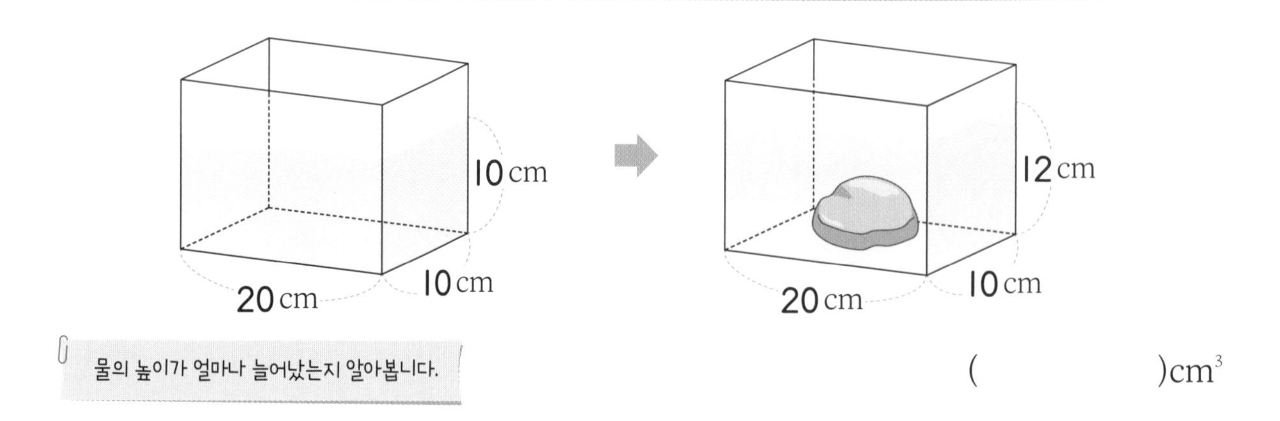

물의 높이가 얼마나 늘어났는지 알아봅니다.

( )cm^3

직육면체 모양의 수조에 돌이 들어 있습니다. 돌을 뺐더니 물의 높이가 다음과 같이 줄어들었습니다. 수조에서 뺀 돌의 부피는 몇 cm^3일까요?

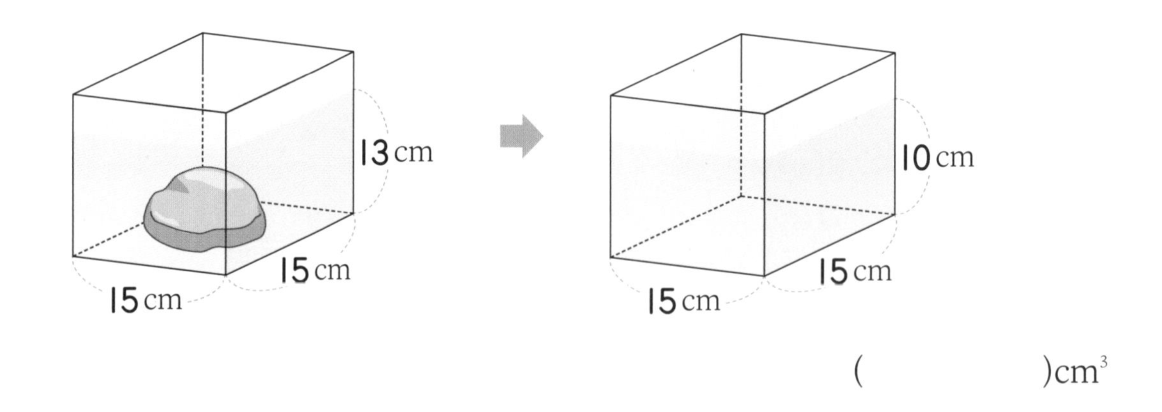

( )cm^3

4주차
16~20일

직육면체의 겉넓이

16일 여섯 면 넓이의 합

직육면체의 여섯 면 넓이의 합을 구하는 방법으로 직육면체의 겉넓이를 구해 보세요.

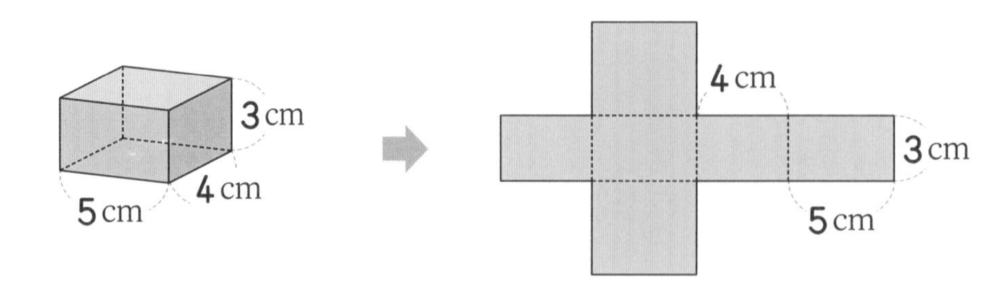

겉넓이 $5\times4+4\times3+5\times3+$ ______

$=$ ______ (cm^2)

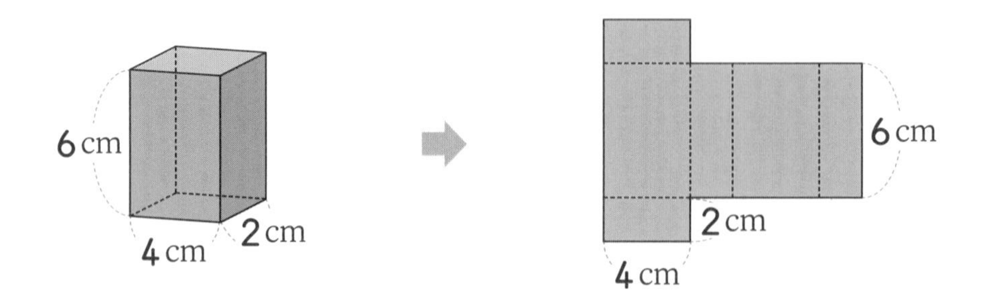

겉넓이 ______

$=$ ______ (cm^2)

직육면체의 겉넓이 1

물체 겉면의 넓이를 겉넓이라고 합니다.
직육면체의 겉넓이는 직육면체 **여섯 면 넓이의 합**을 말합니다.

4 cm, 2 cm, 3 cm → ㉠, ㉡, ㉢, ㉣, ㉤, ㉥, 4 cm, 2 cm, 3 cm

(겉넓이)
$=$㉠$+$㉡$+$㉢$+$㉣$+$㉤$+$㉥
$=3\times2+2\times4+3\times4+2\times4+3\times4+3\times2$
$=52(\text{cm}^2)$

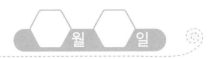

옆면과 두 밑면의 넓이의 합을 구하는 방법으로 직육면체의 겉넓이를 구해 보세요.

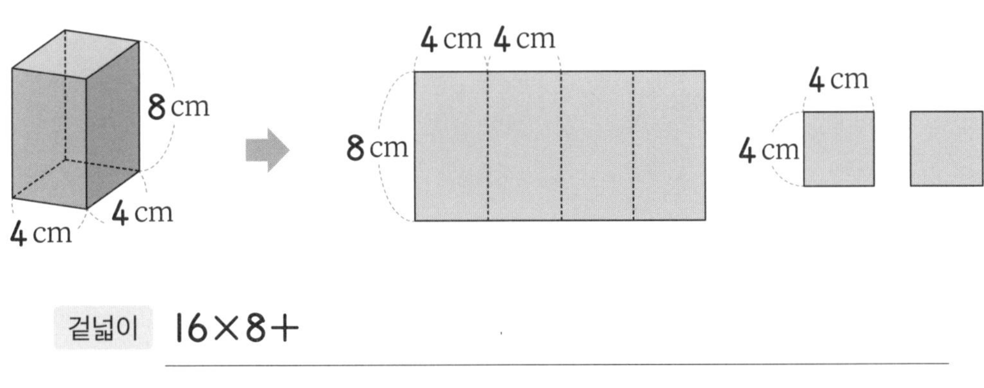

겉넓이 $16 \times 8 +$

$=$ ______ (cm²)

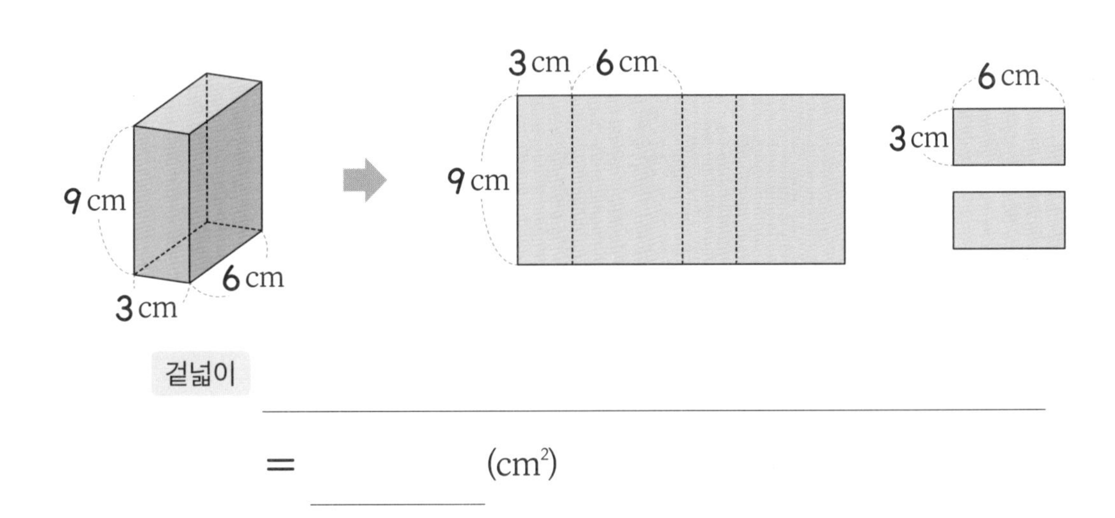

겉넓이

$=$ ______ (cm²)

직육면체의 겉넓이 2

직육면체를 펼치면 옆면은 직사각형이므로 겉넓이는 **옆면의 넓이와 두 밑면의 합**으로 구할 수 있습니다.

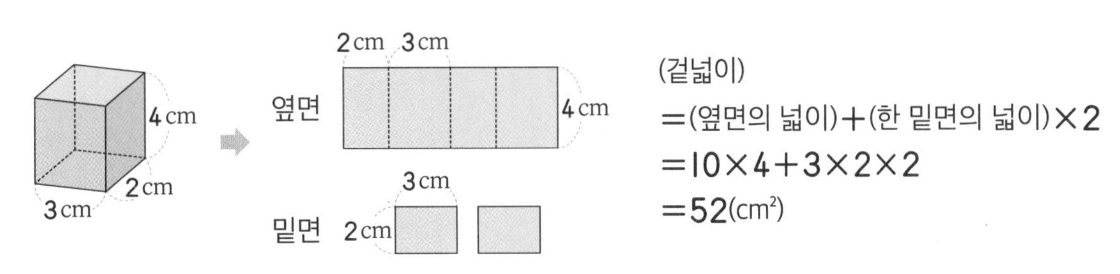

(겉넓이)
$=$(옆면의 넓이)$+$(한 밑면의 넓이)$\times 2$
$= 10 \times 4 + 3 \times 2 \times 2$
$= 52$(cm²)

17일 3쌍의 평행한 면

한 꼭짓점에서 만나는 세 면의 넓이를 더하여 2배 하는 방법으로 직육면체의 겉넓이를 구해 보세요.

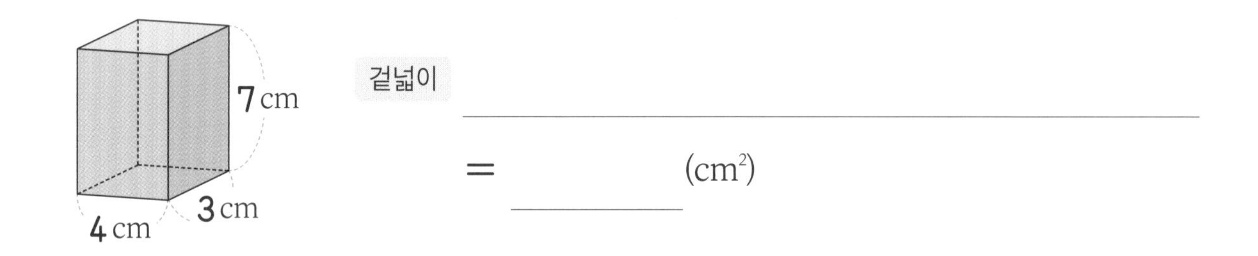

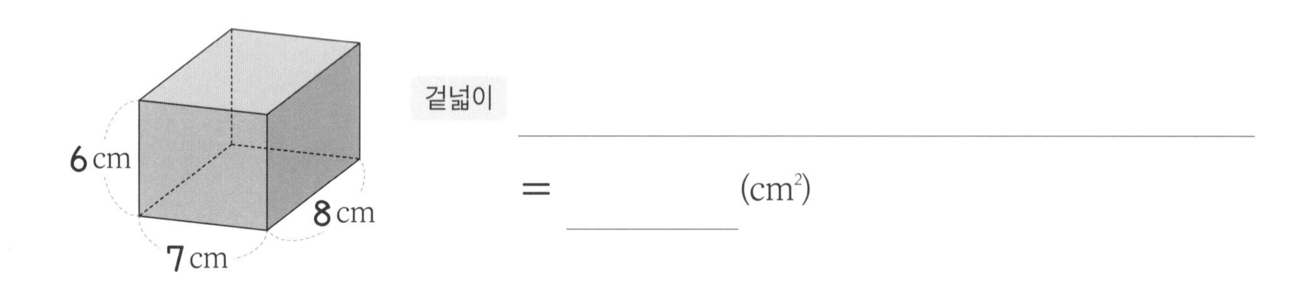

직육면체의 겉넓이 3

직육면체는 합동인 면이 3쌍이므로 한 꼭짓점에서 만나는 **세 면의 넓이를 2배** 하여 구할 수 있습니다.

4 cm, 2 cm, 3 cm, ㉠, ㉡, ㉢

(겉넓이)
=㉠×2+㉡×2+㉢×2
=3×2×2+3×4×2+2×4×2
=52(cm²)

(겉넓이)
=(㉠+㉡+㉢)×2
=(3×2+3×4+2×4)×2
=52(cm²)

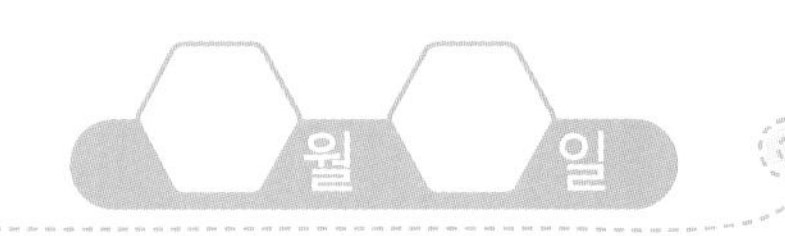

11 직육면체의 겉넓이를 구해 보세요.

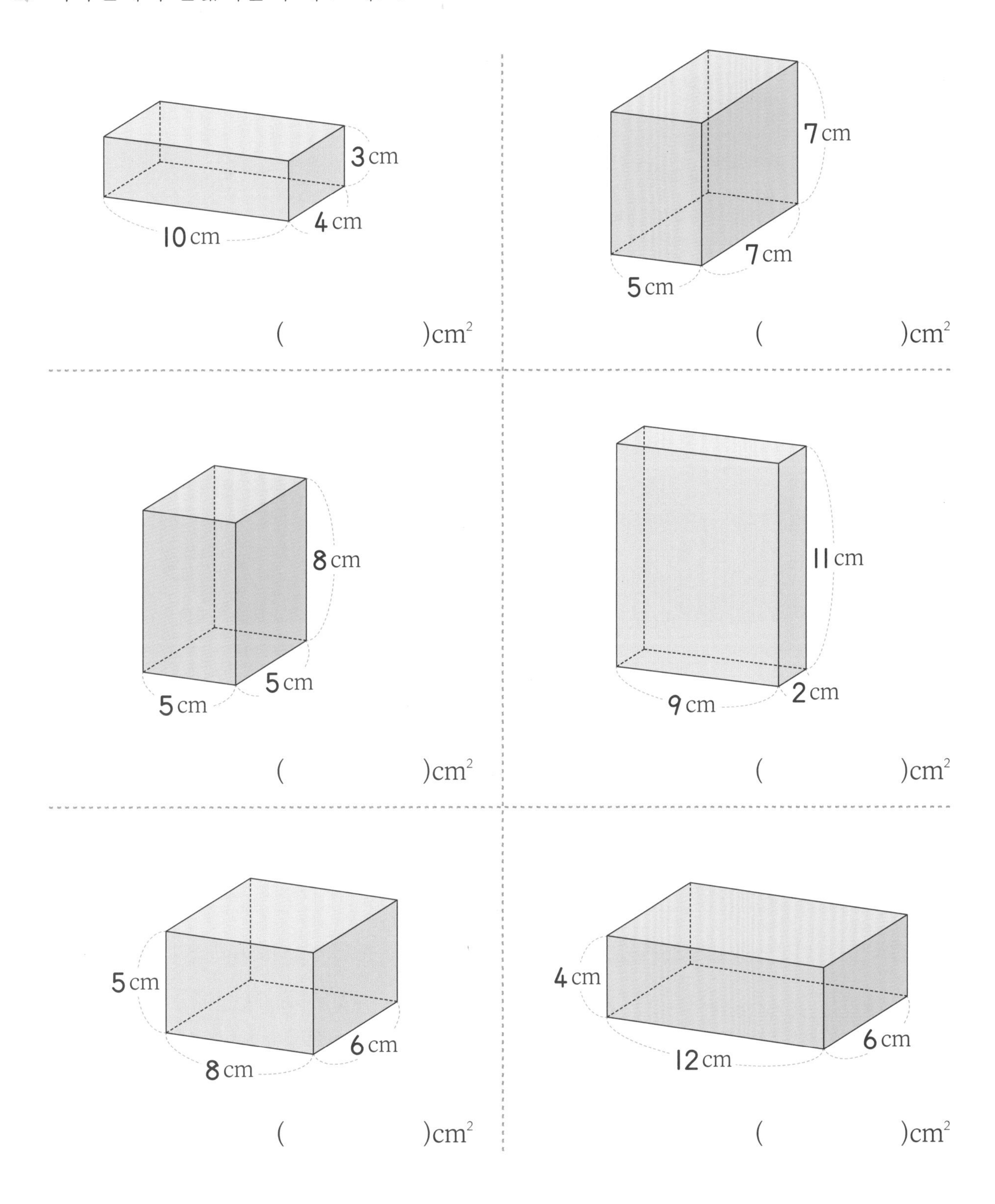

18일 정육면체의 겉넓이

한 면의 넓이를 이용하여 정육면체의 겉넓이를 구해 보세요.

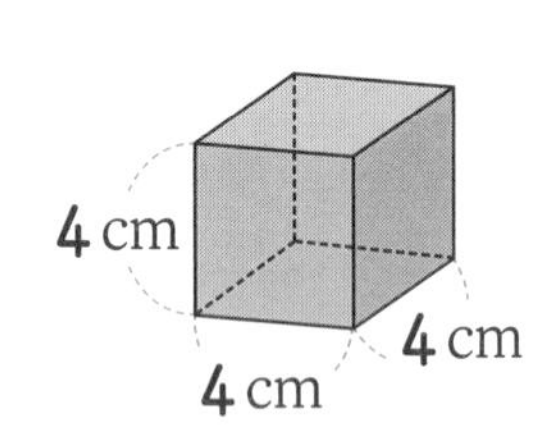

겉넓이 ________________

= ________ (cm^2)

5 cm
5 cm
5 cm

겉넓이 ________________

= ________ (cm^2)

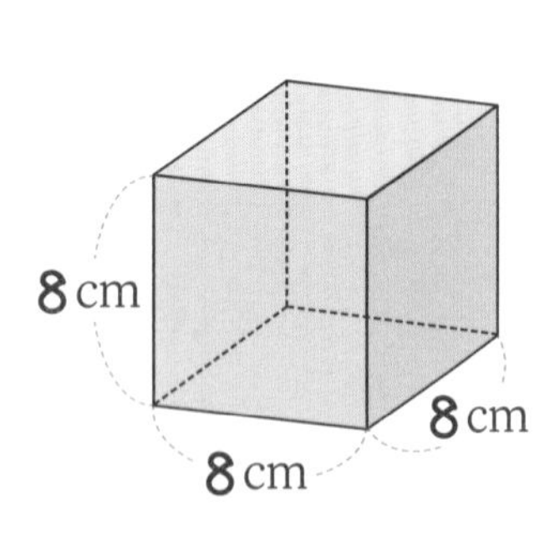

겉넓이 ________________

= ________ (cm^2)

10 cm
10 cm
10 cm

겉넓이 ________________

= ________ (cm^2)

정육면체의 겉넓이

정육면체는 여섯 면의 넓이가 모두 같으므로 정육면체의 겉넓이는 한 면의 넓이를 6배 하여 구합니다.

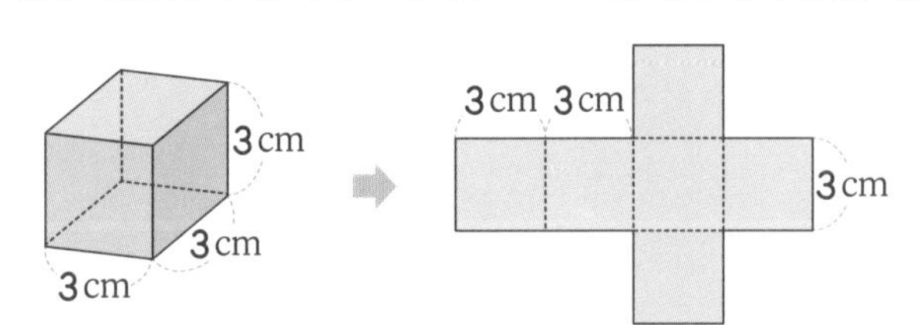

(정육면체의 겉넓이)
=(한 면의 넓이)×6
=3×3×6
=54(cm^2)

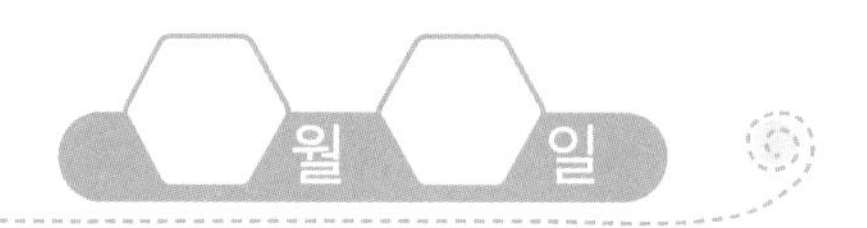

물음에 답하세요.

두 정육면체의 겉넓이의 차는 몇 cm^2일까요?

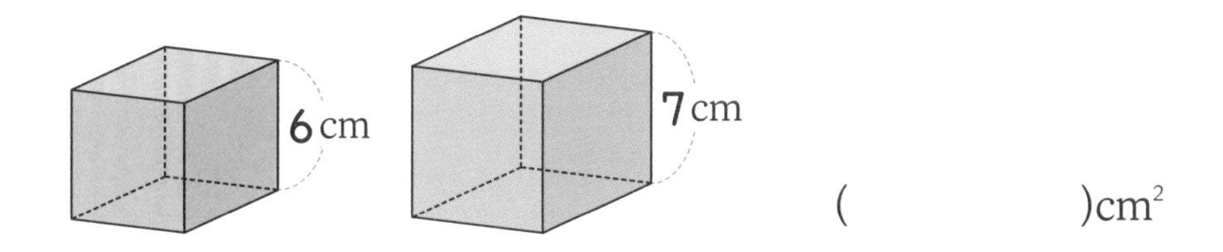

( ) cm^2

전개도를 접어서 정육면체 모양의 상자를 만들었습니다. 만든 상자의 겉넓이는 cm^2일까요?

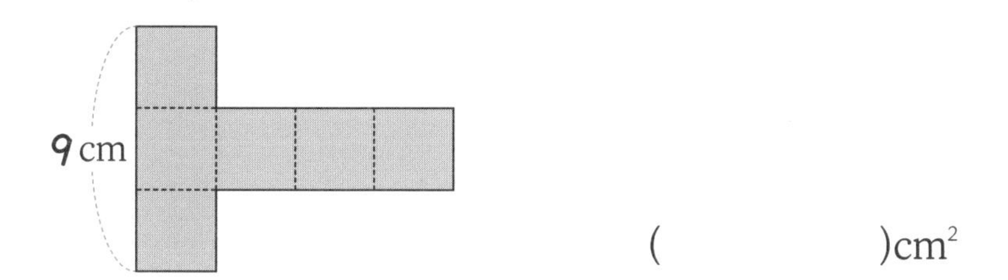

( ) cm^2

정육면체의 겉넓이가 **486** cm^2입니다. 이 정육면체의 한 모서리의 길이는 몇 cm일까요?

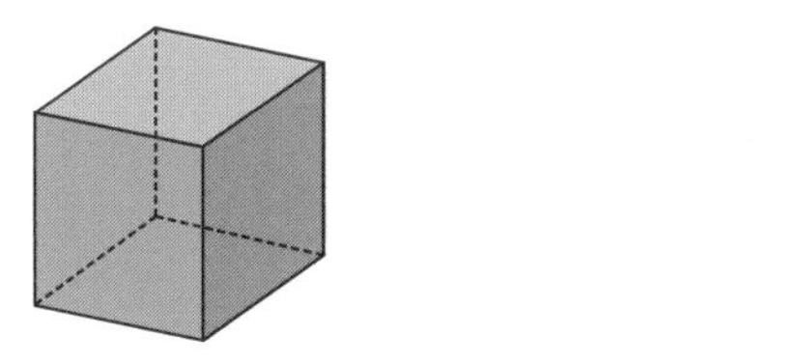

( ) cm

19일 가로, 세로, 높이

직육면체의 겉넓이가 다음과 같습니다. 빈칸에 알맞은 수를 써넣어 높이를 구해 보세요.

겉넓이: $144\,cm^2$

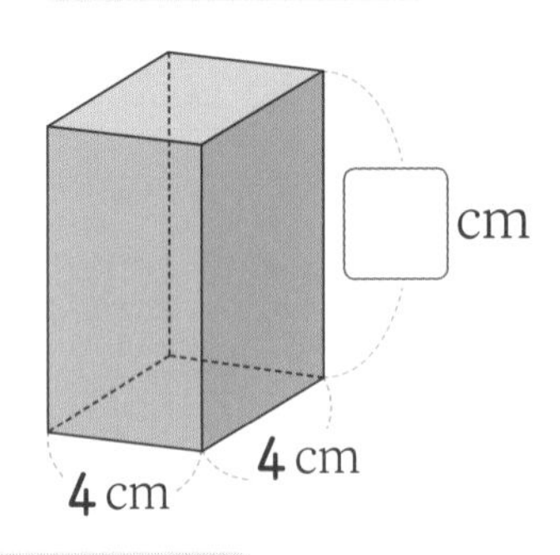

겉넓이: $170\,cm^2$

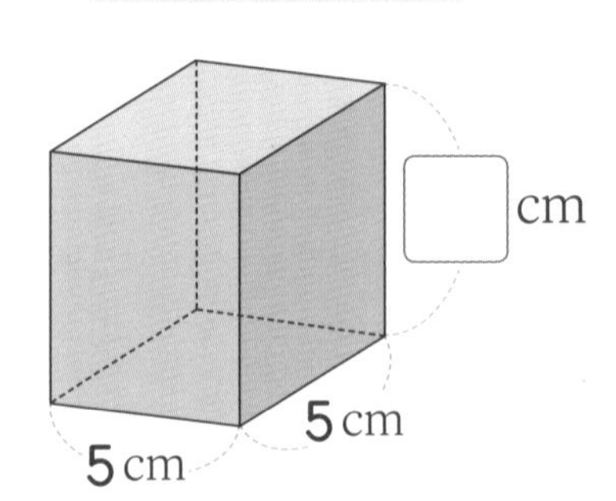

겉넓이: $158\,cm^2$

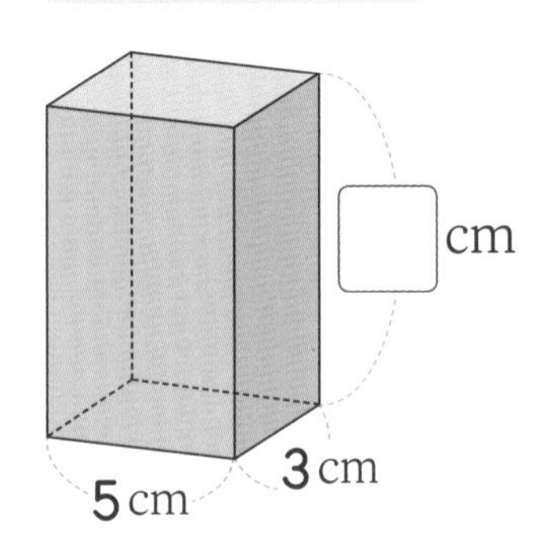

겉넓이: $148\,cm^2$

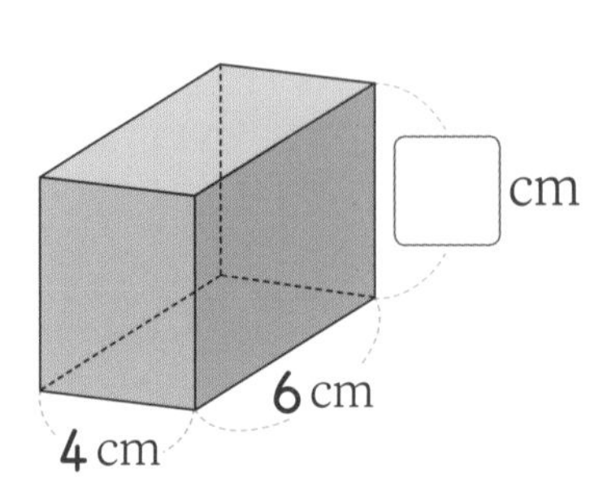

겉넓이: $212\,cm^2$

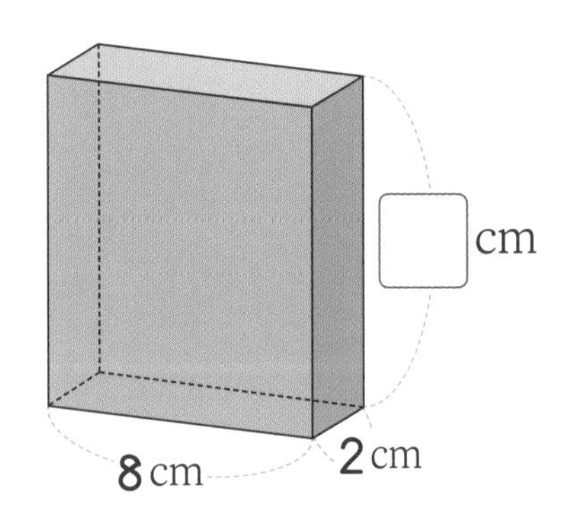

겉넓이: $136\,cm^2$

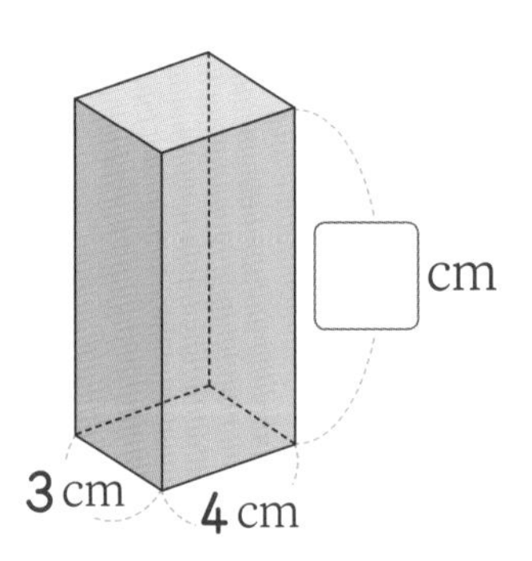

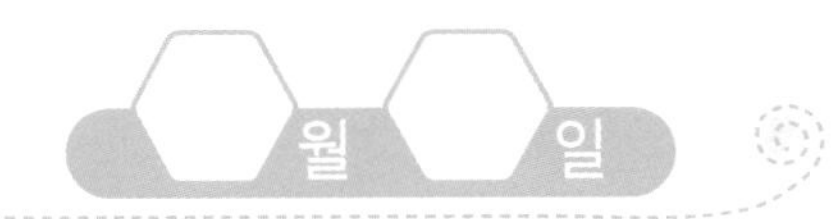

11 직육면체 **가**와 정육면체 **나**의 겉넓이가 서로 같습니다. 빈칸에 알맞은 수를 써넣으세요.

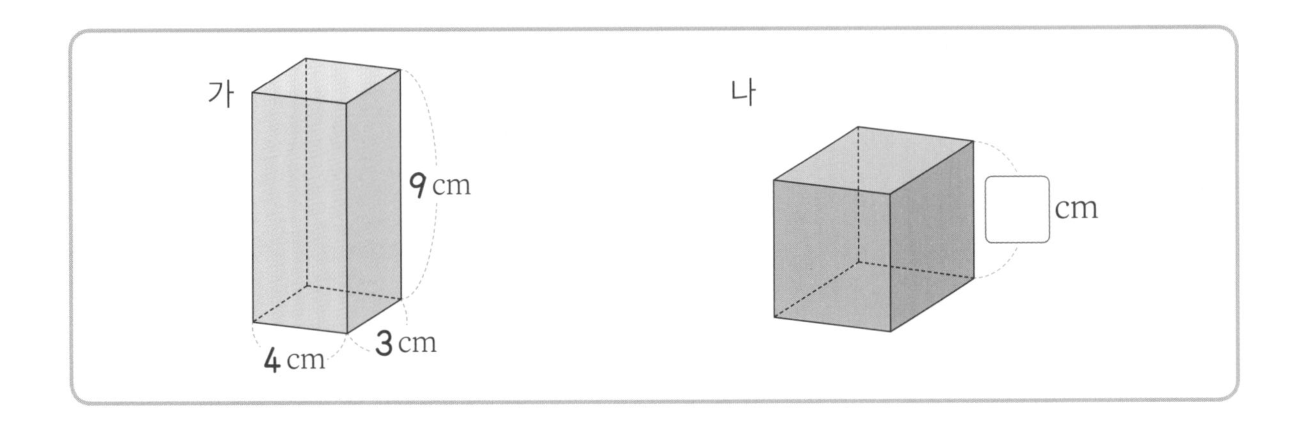

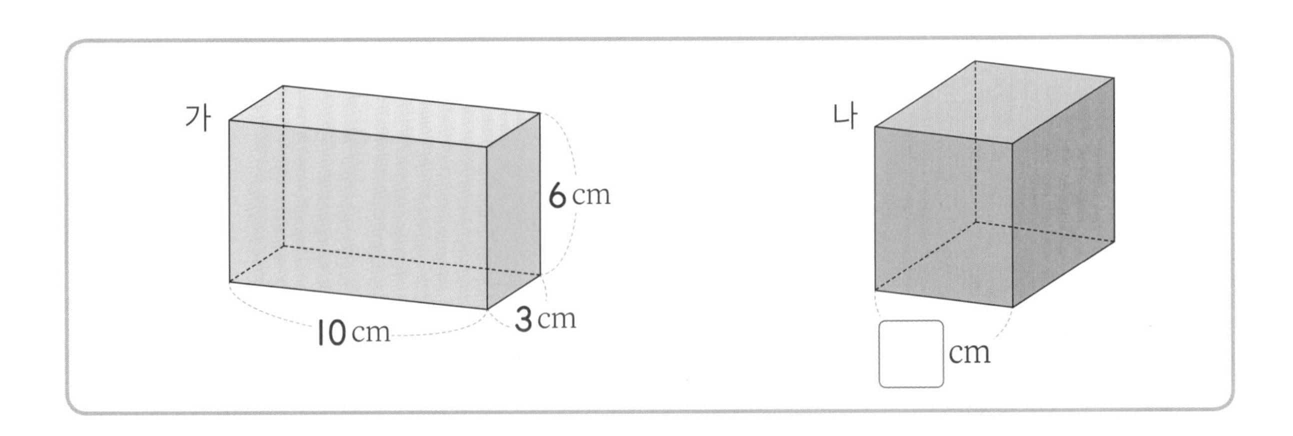

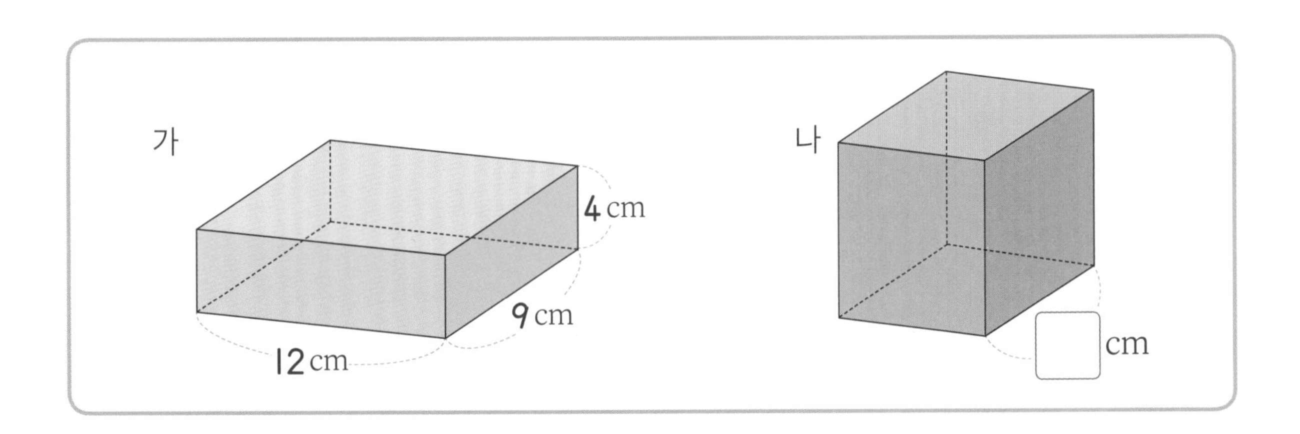

20일 쌓기나무의 부피와 겉넓이

1 부피가 다음과 같은 정육면체 모양의 쌓기나무를 쌓았습니다. 쌓은 직육면체의 부피와 겉넓이를 각각 구해 보세요.

쌓기나무의 부피: 1 cm^3

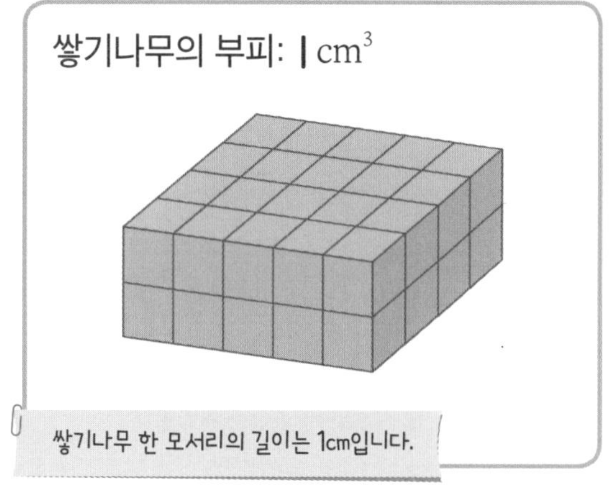

쌓기나무 한 모서리의 길이는 1cm입니다.

부피 (　　　　　　　) cm^3

겉넓이 (　　　　　　　) cm^2

쌓기나무의 부피: 8 cm^3

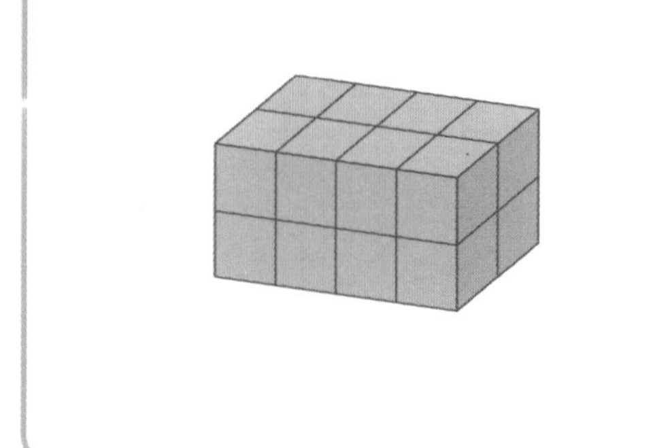

부피 (　　　　　　　) cm^3

겉넓이 (　　　　　　　) cm^2

쌓기나무의 부피: 8 cm^3

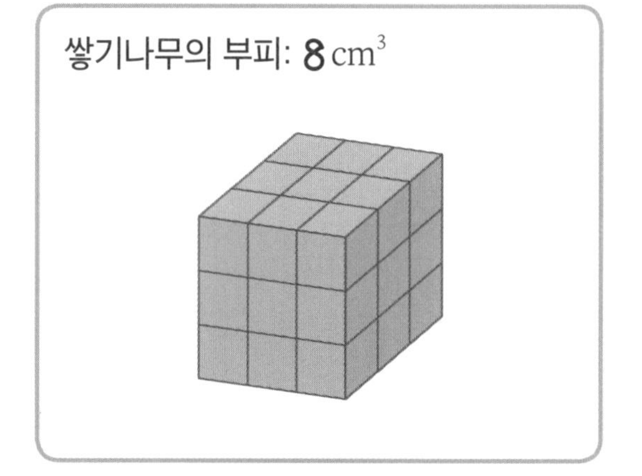

부피 (　　　　　　　) cm^3

겉넓이 (　　　　　　　) cm^2

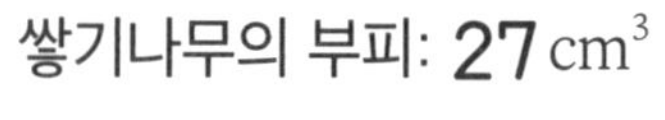

쌓기나무의 부피: 27 cm^3

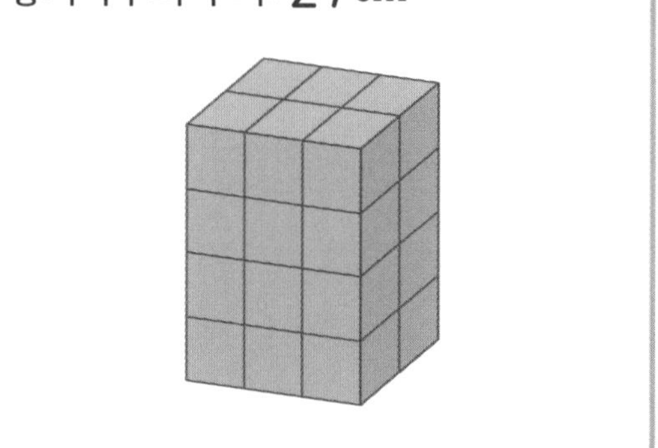

부피 (　　　　　　　) cm^3

겉넓이 (　　　　　　　) cm^2

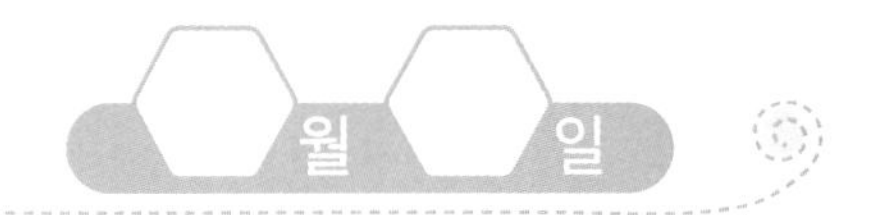

물음에 답하세요.

정육면체 모양의 쌓기나무를 다음과 같이 쌓았습니다. 쌓은 직육면체의 부피가 192 cm^3일 때 쌓기나무의 한 모서리의 길이는 몇 cm일까요?

쌓기나무 1개의 부피를 구합니다.

(　　　　　)cm

정육면체 모양의 쌓기나무를 다음과 같이 쌓았습니다. 쌓은 직육면체의 부피가 486 cm^3라면 직육면체의 겉넓이는 몇 cm^2일까요?

(　　　　　)cm^2

물음에 답하세요.

정육면체 모양의 쌓기나무를 다음과 같이 쌓았습니다. 쌓은 직육면체의 겉넓이가 **414** cm^2일 때 쌓기나무의 한 모서리의 길이는 몇 cm일까요?

겉넓이에 쌓기나무 면이 몇 개 있는지 구합니다.

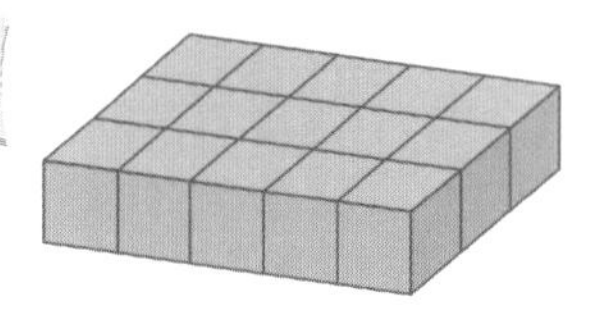

(　　　　　　)cm

정육면체 모양의 쌓기나무를 다음과 같이 쌓았습니다. 쌓은 직육면체의 겉넓이가 **128** cm^2일 때 직육면체의 부피는 몇 cm^3일까요?

(　　　　　　)cm^3

도형 플러스+

- cm^3와 m^3 -

PLUS 1 $1m^3$

빈칸에 알맞은 수를 써넣으세요.

$1 m^3 = \square cm^3$

$8 m^3 = \square cm^3$

$1.5 m^3 = \square cm^3$

$23 m^3 = \square cm^3$

$30 m^3 = \square cm^3$

$0.4 m^3 = \square cm^3$

$5000000 cm^3 = \square m^3$

$2000000 cm^3 = \square m^3$

$3600000 cm^3 = \square m^3$

$800000 cm^3 = \square m^3$

$70000000 cm^3 = \square m^3$

$9100000 cm^3 = \square m^3$

$1 m^3 = 1000000 cm^3$

한 모서리의 길이가 1 m인 정육면체의 부피를 단위로 사용할 수 있습니다.
이 정육면체의 부피를 $1 m^3$라 쓰고, 1 세제곱미터라고 읽습니다.

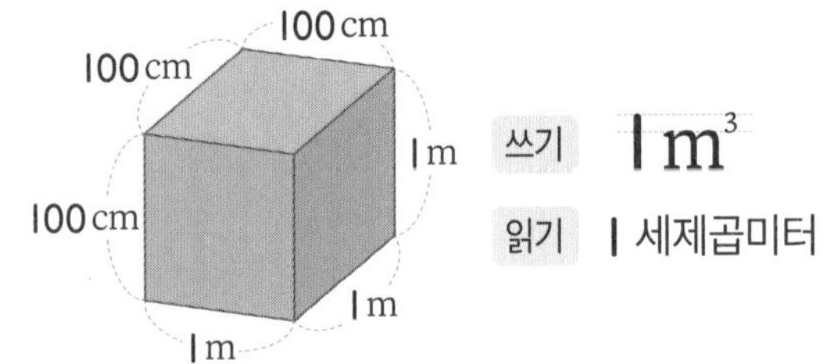

$1 \times 1 \times 1 = 1 (m^3)$

$100 \times 100 \times 100 = 1000000 (cm^3)$

$1 m^3 = 1000000 cm^3$

$1 m^3$에는 $1 cm^3$가 가로, 세로, 높이에 각각 100개씩 모두 1000000개 들어갑니다.

부피가 큰 순서대로 기호를 써 보세요.

㉠ 9 m^3
㉡ 20000000 cm^3
㉢ 10 m^3

(, ,)

㉠ 6000000 cm^3
㉡ 4.5 m^3
㉢ 800000 cm^3

(, ,)

㉠ 가로가 2 m, 세로가 2 m, 높이가 5 m인 직육면체의 부피
㉡ 한 모서리의 길이가 3 m인 정육면체의 부피
㉢ 가로가 300 cm, 세로가 500 cm, 높이가 100 cm인 직육면체의 부피

(, ,)

㉠ 한 모서리의 길이가 10 m인 정육면체의 부피
㉡ 한 모서리의 길이가 200 cm인 정육면체의 부피
㉢ 가로가 1.5 m, 세로가 3 m, 높이가 2 m인 직육면체의 부피

(, ,)

PLUS 2 두 가지 단위

직육면체의 부피를 구하여 cm^3와 m^3로 나타내어 보세요.

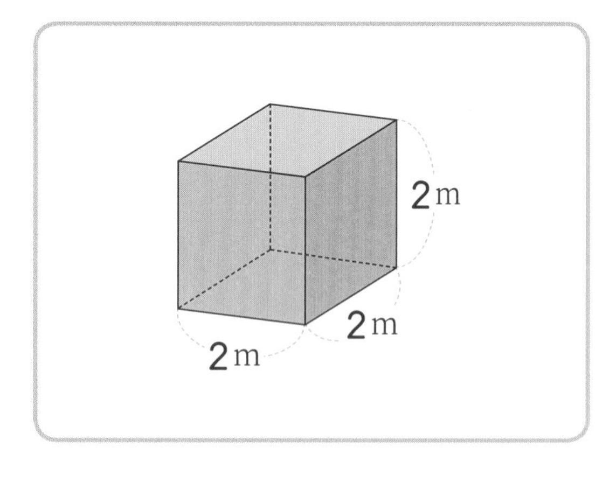

( )cm^3

( )m^3

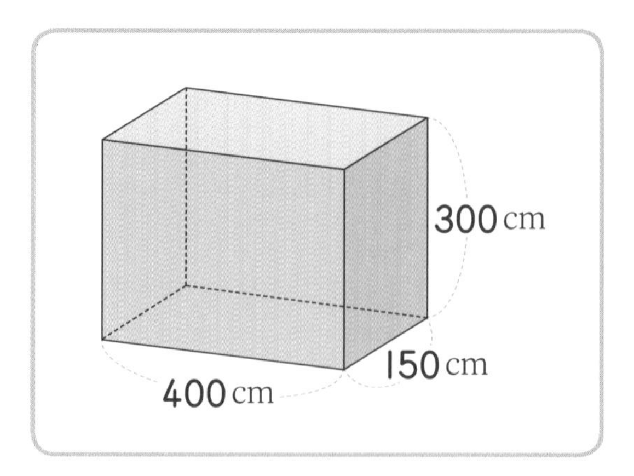

( )cm^3

( )m^3

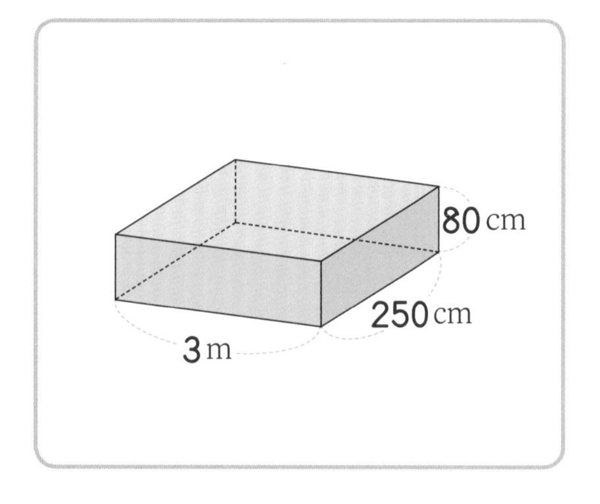

( )cm^3

( )m^3

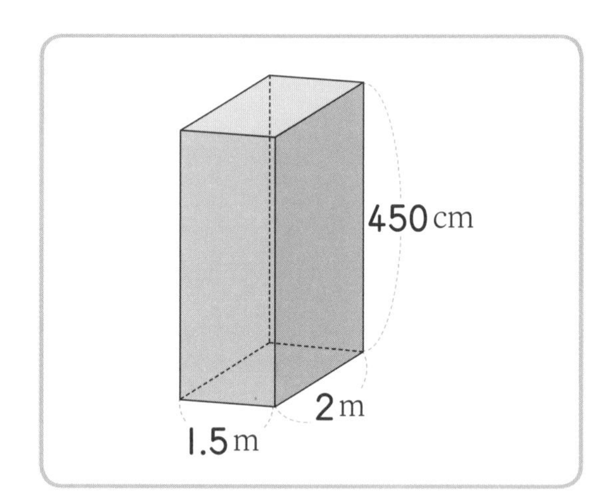

( )cm^3

( )m^3

전개도를 접었을 때 만들어지는 직육면체의 부피를 구하여 cm^3와 m^3로 나타내어 보세요.

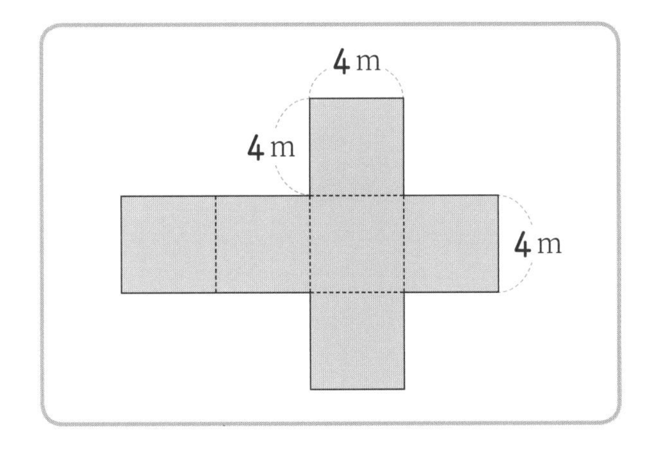

( )cm^3

( )m^3

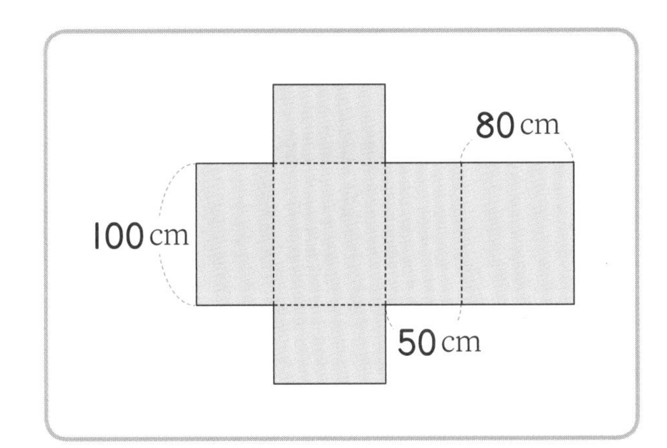

( )cm^3

( )m^3

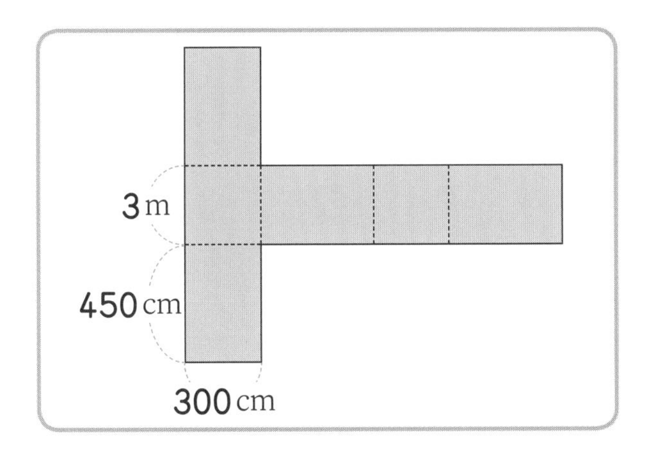

( )cm^3

( )m^3

PLUS 3 실제 물건의 부피

직육면체 모양의 물건입니다. 부피를 구해 보세요.

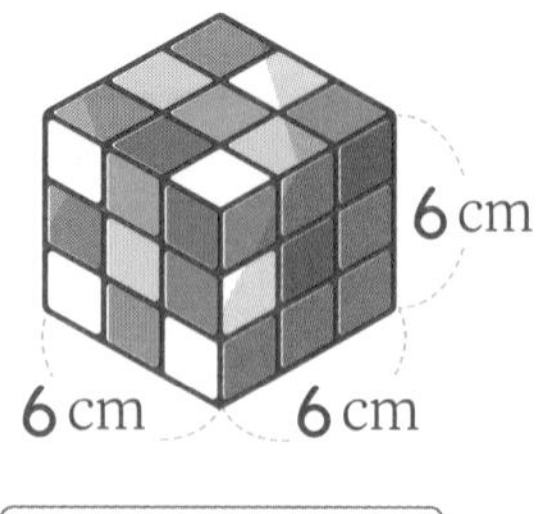

$\square$ cm^3

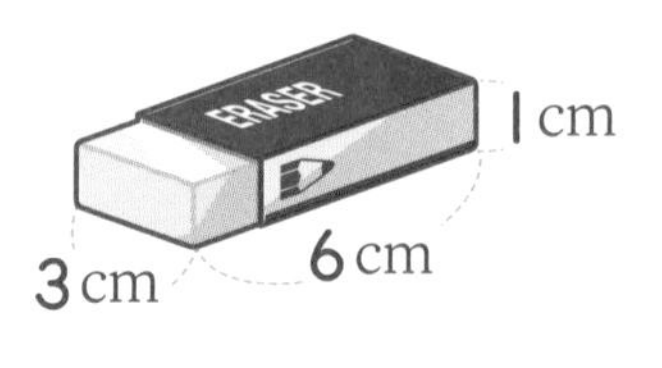

$\square$ cm^3

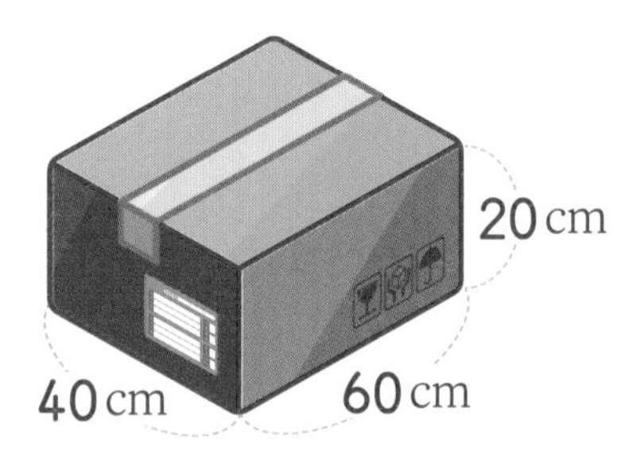

$\square$ cm^3

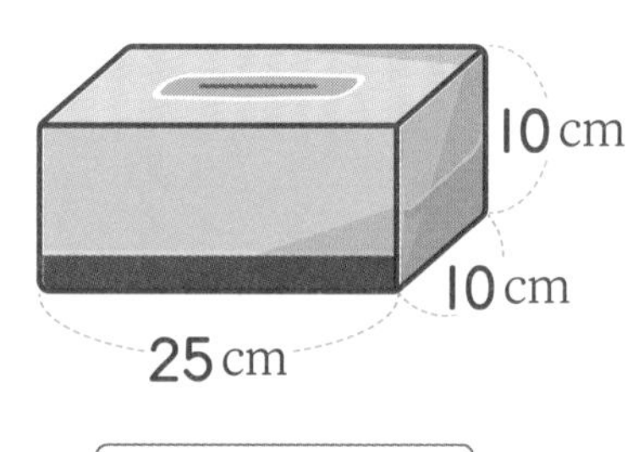

$\square$ cm^3

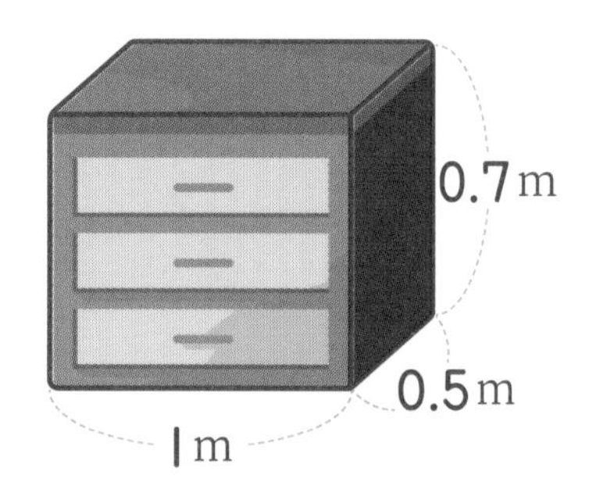

$\square$ m^3

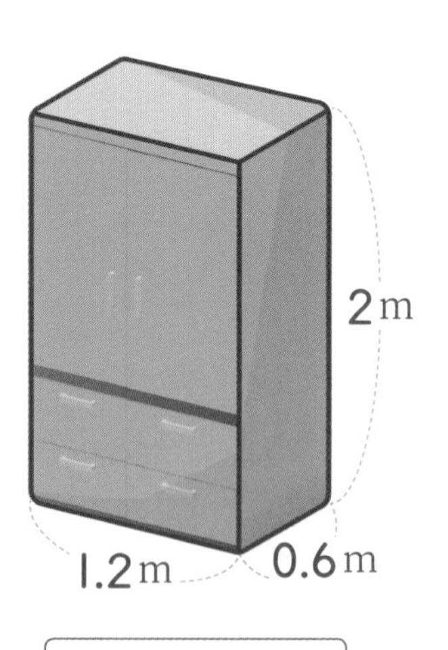

$\square$ m^3

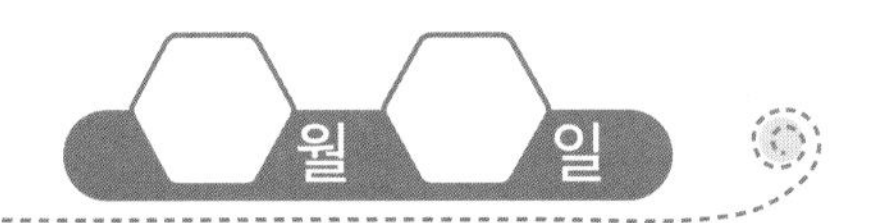

실제 부피에 가장 가까운 것에 ◯표 하세요.

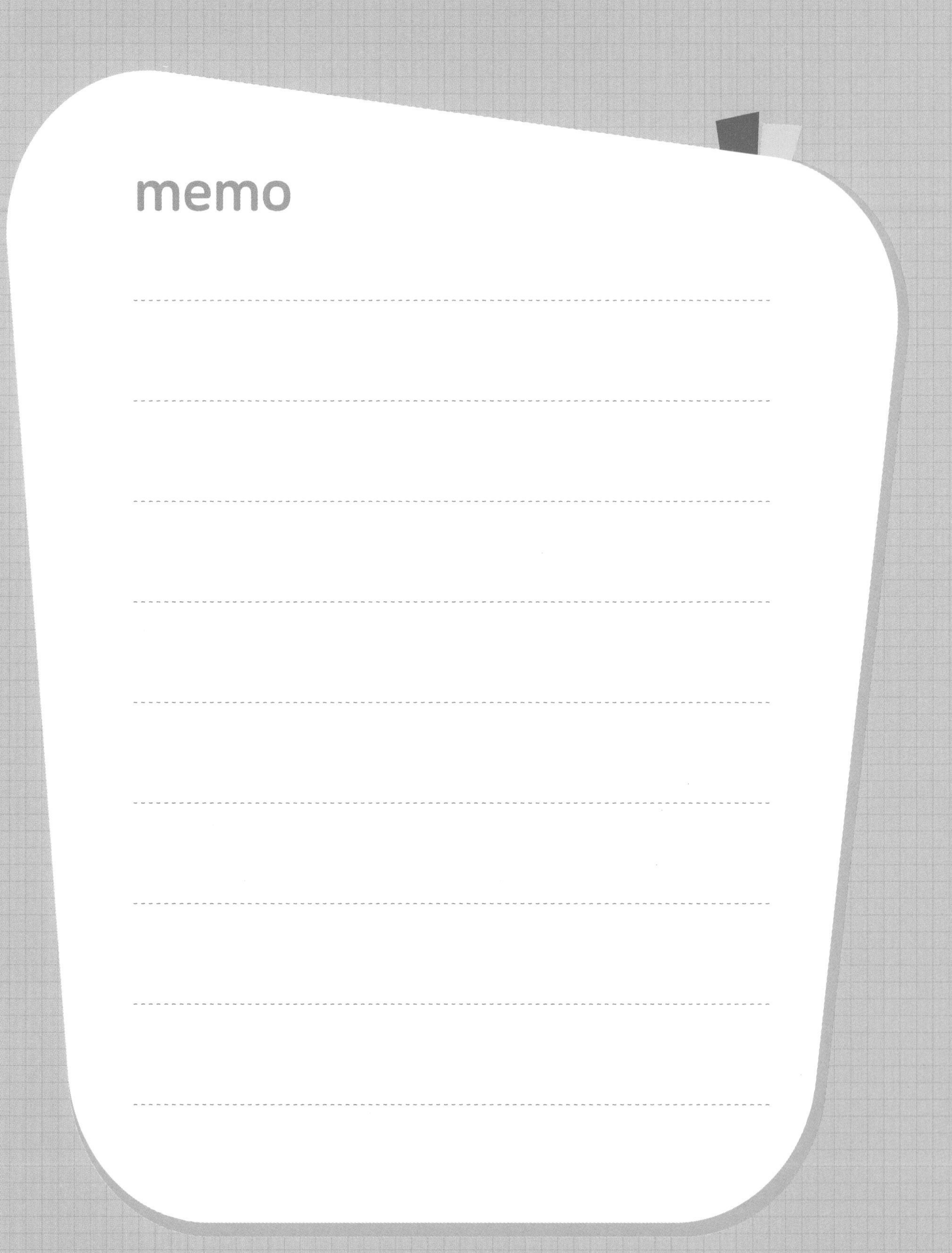
memo

형성평가

형성평가 1회

1 전개도를 접었을 때 만들어지는 각기둥의 이름과 면의 수, 모서리의 수, 꼭짓점의 수를 각각 써넣으세요.

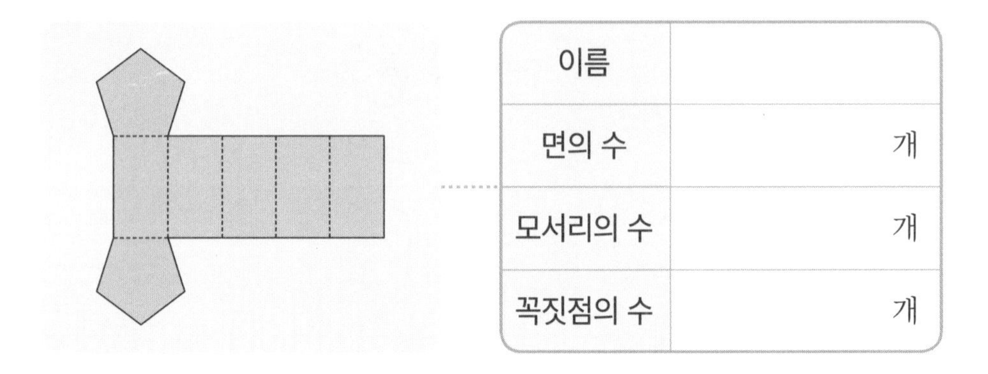

이름	
면의 수	개
모서리의 수	개
꼭짓점의 수	개

2 전개도를 접었을 때 주어진 선분과 맞닿는 선분, 주어진 면과 만나는 면을 찾아 모두 써 보세요.

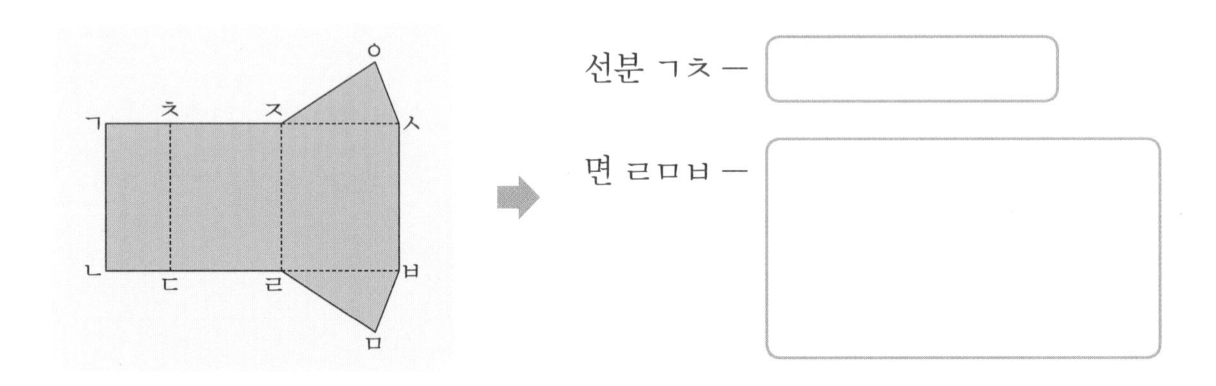

3 칠각뿔과 면의 수가 같은 각기둥의 이름을 써 보세요.

(   )

4 사각기둥과 사각뿔에서 서로 같은 것의 기호를 모두 써 보세요.

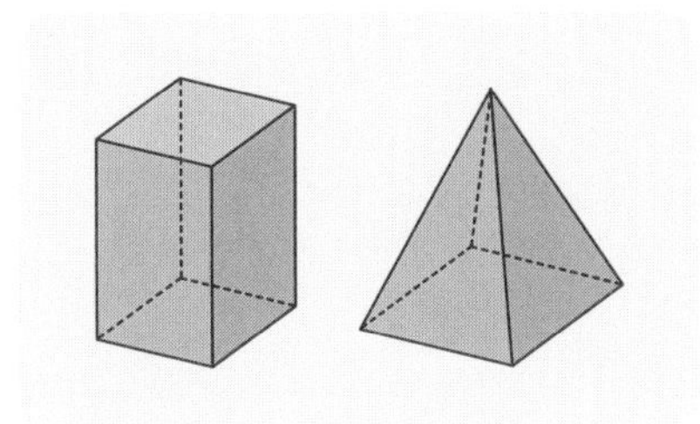

㉠ 면의 수	㉡ 모서리의 수
㉢ 한 밑면의 변의 수	㉣ 꼭짓점의 수
㉤ 옆면의 수	㉥ 밑면의 수

( )

5 각기둥의 전개도를 완성해 보세요.

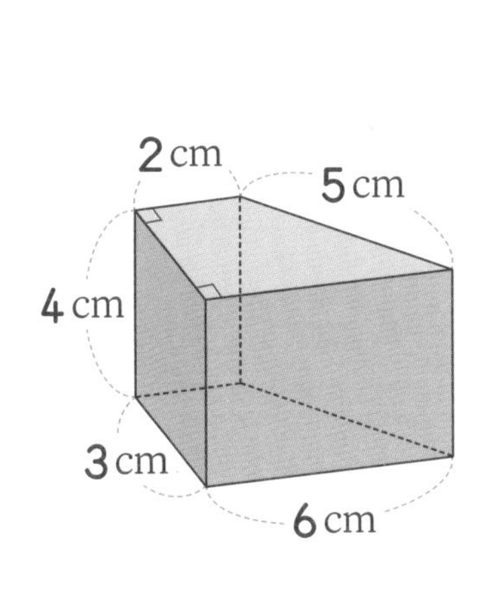

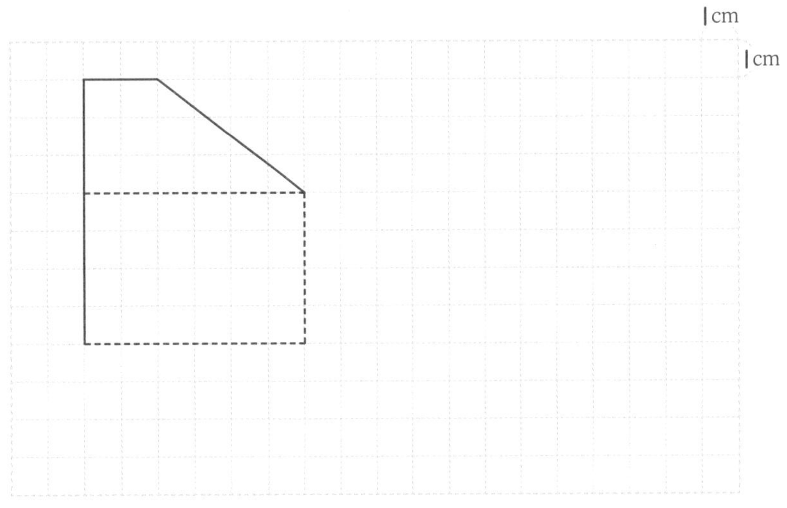

6 다음 입체도형이 각기둥이 아닌 이유를 써 보세요.

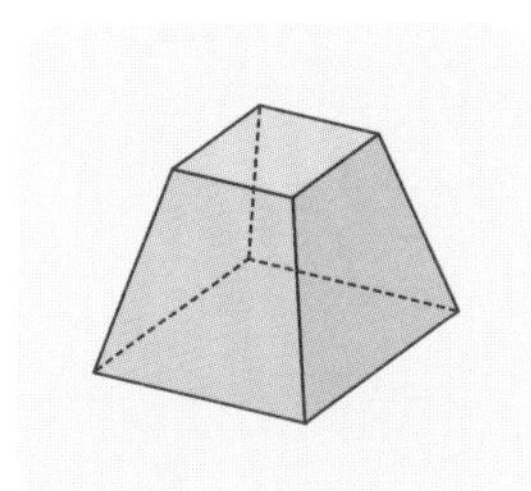

이유

형성평가 2회

1 직육면체의 부피와 겉넓이를 각각 구해 보세요.

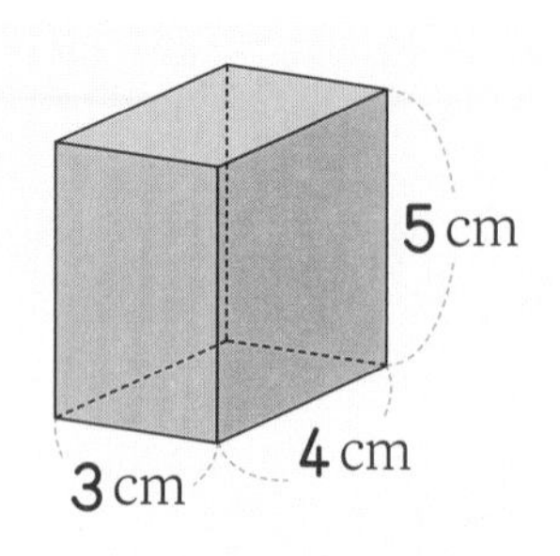

부피 ( )cm^3

겉넓이 ( )cm^2

2 전개도를 접었을 때 만들어지는 정육면체의 부피와 겉넓이를 각각 구해 보세요.

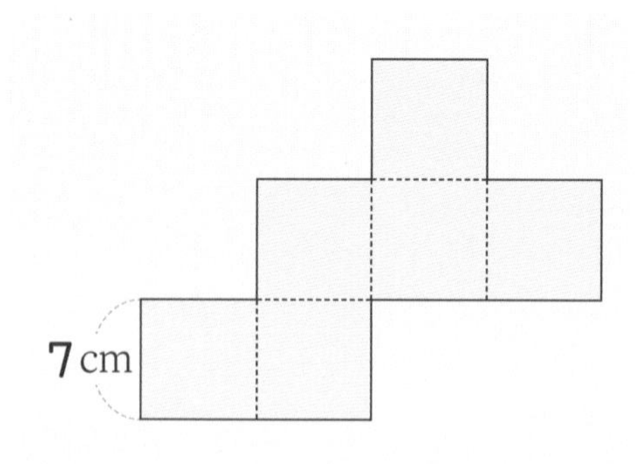

부피 ( )cm^3

겉넓이 ( )cm^2

3 직육면체의 겉넓이를 구하는 방법으로 잘못된 것의 기호를 써 보세요.

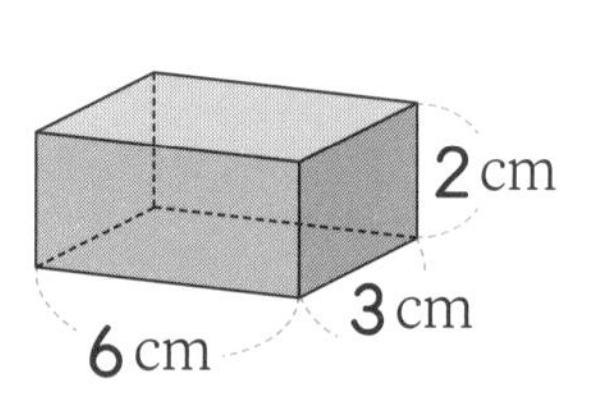

㉠ $6\times3+6\times2+3\times2+6\times3+6\times2+3\times2$

㉡ $(6\times3+6\times2+3\times2)\times2$

㉢ $(6+3+6+3)\times2+6\times3$

( )

4 왼쪽 정육면체와 오른쪽 직육면체의 부피가 서로 같습니다. 빈칸에 알맞은 수를 써넣으세요.

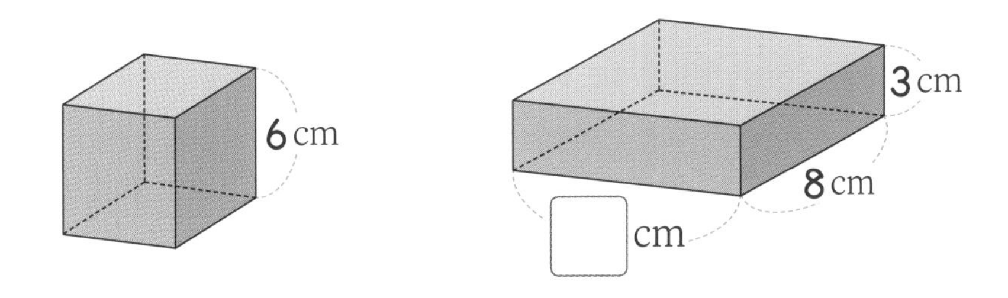

5 작은 정육면체를 다음과 같이 쌓았습니다. 쌓은 직육면체의 부피가 288 cm^3라면 작은 정육면체의 한 모서리의 길이는 몇 cm일까요?

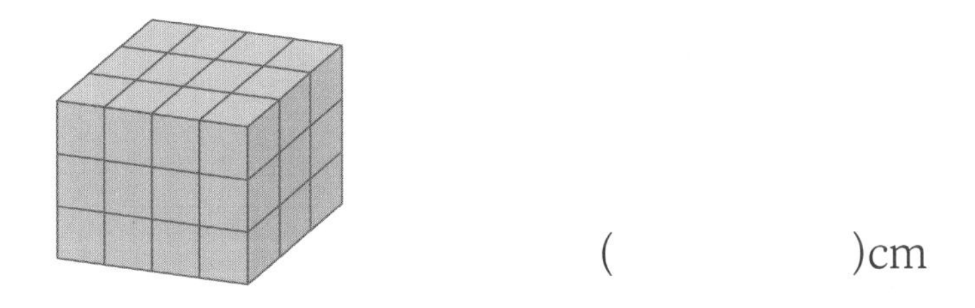

( )cm

6 두부를 똑같이 2조각으로 잘랐습니다. 자른 2조각의 겉넓이 합은 처음 두부의 겉넓이보다 몇 cm^2 늘어났을까요?

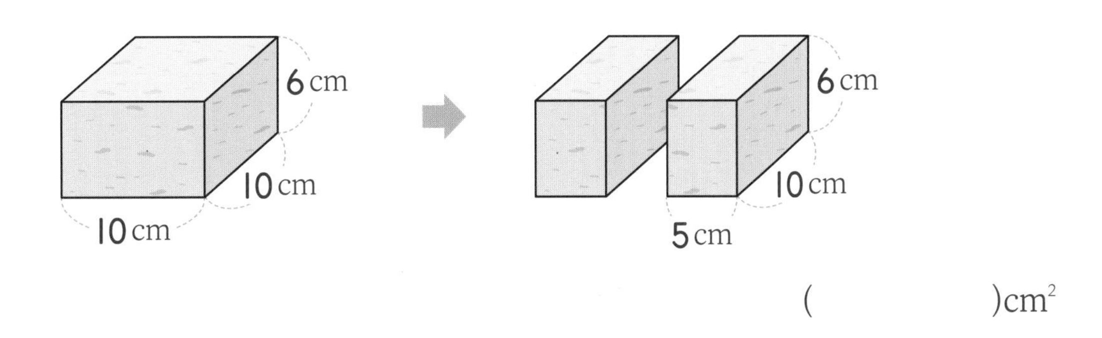

( )cm^2

memo

하루 한 장 60일 집중 완성

교과도형

초6

F1

각기둥과 각뿔 /

직육면체의 부피와 겉넓이

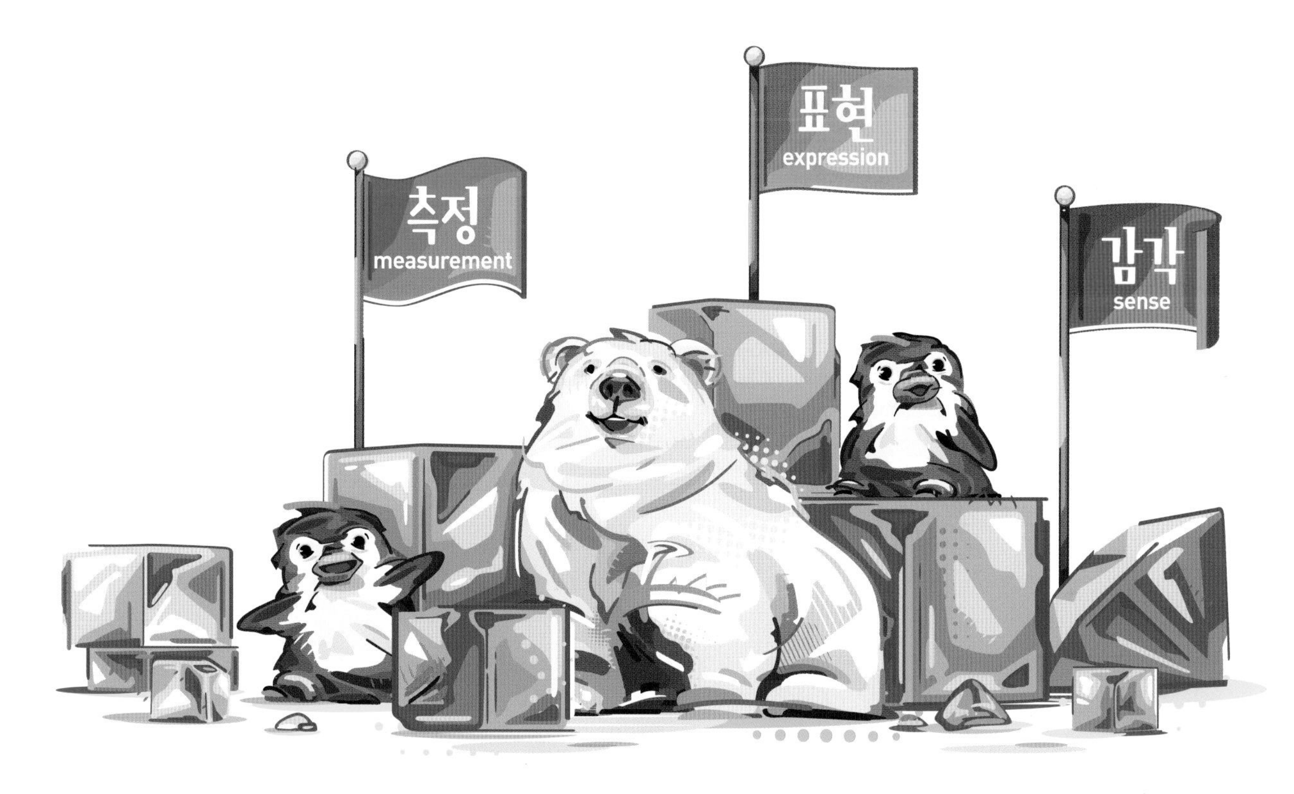

정답

F1

각기둥과 각뿔 / 직육면체의 부피와 겉넓이

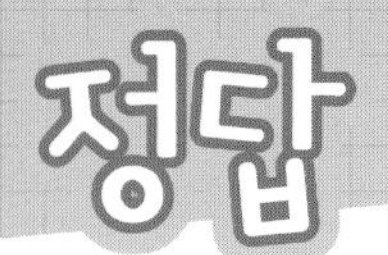

1주차 각기둥과 각뿔

8쪽·9쪽

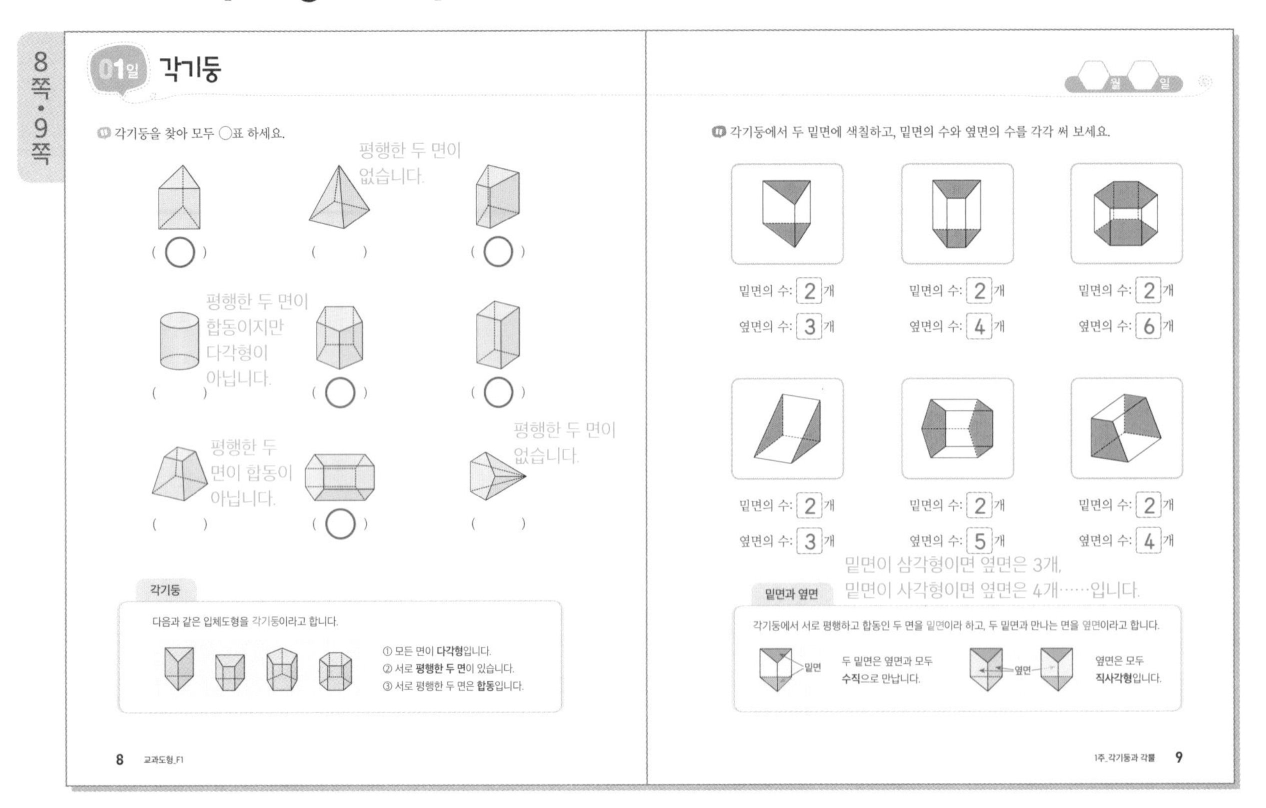

01일 각기둥

1 각기둥을 찾아 모두 ○표 하세요.

(○) ( ) 평행한 두 면이 없습니다. (○)

( ) 평행한 두 면이 합동이지만 다각형이 아닙니다. (○) (○)

( ) 평행한 두 면이 합동이 아닙니다. (○) ( ) 평행한 두 면이 없습니다.

각기둥

다음과 같은 입체도형을 각기둥이라고 합니다.

① 모든 면이 **다각형**입니다.
② 서로 **평행한 두 면**이 있습니다.
③ 서로 평행한 두 면은 **합동**입니다.

월 일

2 각기둥에서 두 밑면에 색칠하고, 밑면의 수와 옆면의 수를 각각 써 보세요.

밑면의 수: 2개	밑면의 수: 2개	밑면의 수: 2개
옆면의 수: 3개	옆면의 수: 4개	옆면의 수: 6개
밑면의 수: 2개	밑면의 수: 2개	밑면의 수: 2개
옆면의 수: 3개	옆면의 수: 5개	옆면의 수: 4개

밑면이 삼각형이면 옆면은 3개,
밑면이 사각형이면 옆면은 4개……입니다.

밑면과 옆면

각기둥에서 서로 평행하고 합동인 두 면을 밑면이라 하고, 두 밑면과 만나는 면을 옆면이라고 합니다.

밑면 — 두 밑면은 옆면과 모두 **수직**으로 만납니다.

옆면 — 옆면은 모두 **직사각형**입니다.

10쪽·11쪽

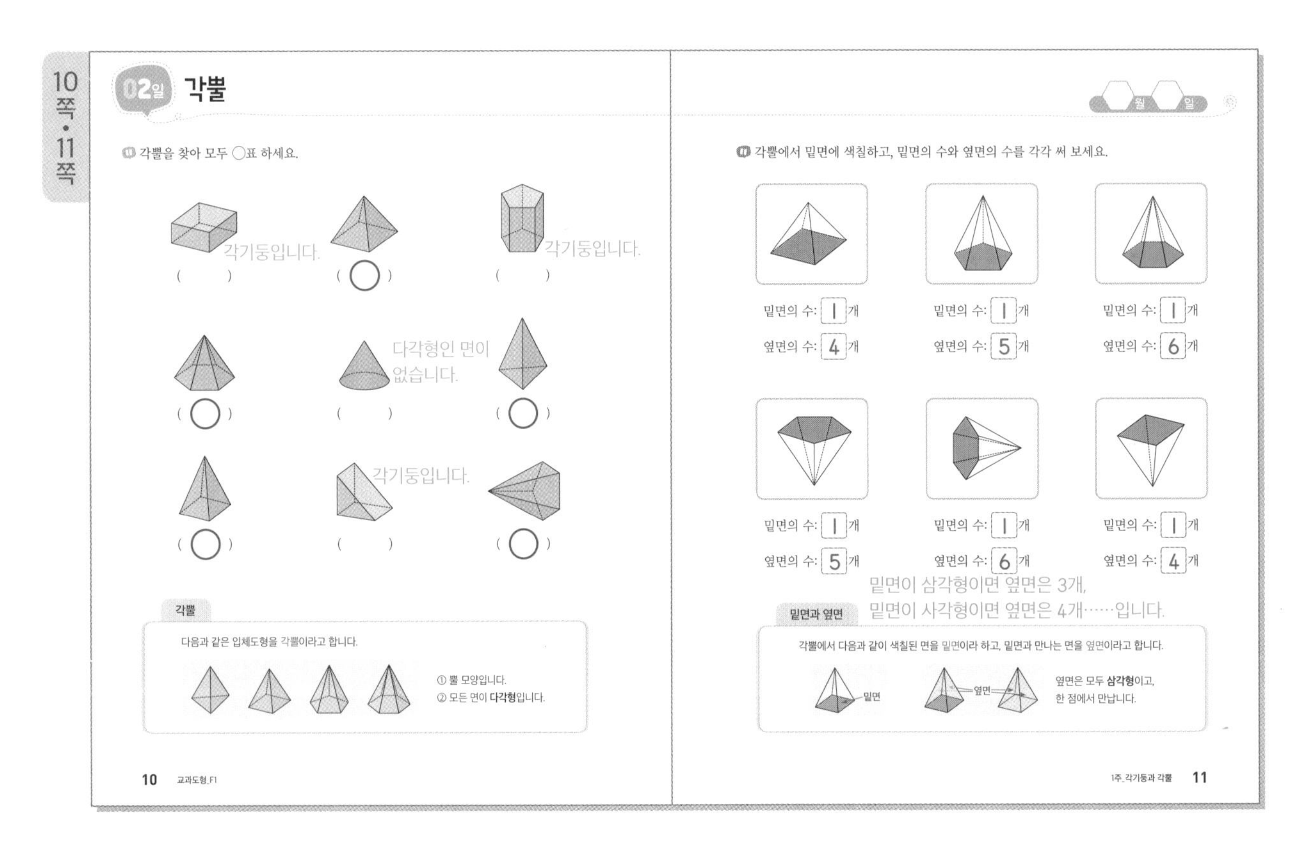

02일 각뿔

1 각뿔을 찾아 모두 ○표 하세요.

( ) 각기둥입니다. (○) ( ) 각기둥입니다.

(○) ( ) 다각형인 면이 없습니다. (○)

(○) ( ) 각기둥입니다. (○)

각뿔

다음과 같은 입체도형을 각뿔이라고 합니다.

① 뿔 모양입니다.
② 모든 면이 **다각형**입니다.

월 일

2 각뿔에서 밑면에 색칠하고, 밑면의 수와 옆면의 수를 각각 써 보세요.

밑면의 수: 1개	밑면의 수: 1개	밑면의 수: 1개
옆면의 수: 4개	옆면의 수: 5개	옆면의 수: 6개
밑면의 수: 1개	밑면의 수: 1개	밑면의 수: 1개
옆면의 수: 5개	옆면의 수: 6개	옆면의 수: 4개

밑면이 삼각형이면 옆면은 3개,
밑면이 사각형이면 옆면은 4개……입니다.

밑면과 옆면

각뿔에서 다음과 같이 색칠된 면을 밑면이라 하고, 밑면과 만나는 면을 옆면이라고 합니다.

밑면

옆면 — 옆면은 모두 **삼각형**이고, 한 점에서 만납니다.

03일 각기둥, 각뿔의 이름

01 표를 완성해 보세요.

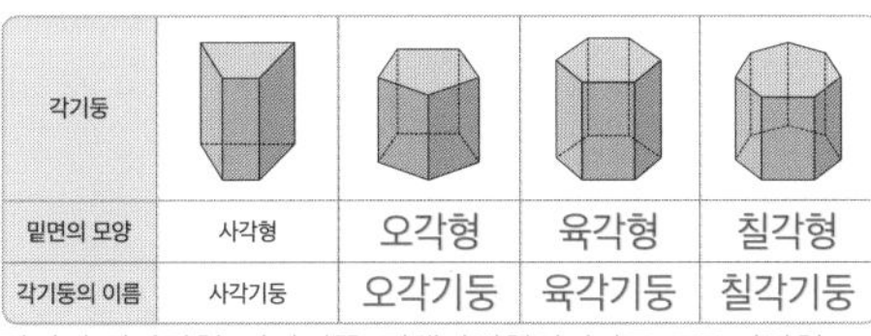

각기둥				
밑면의 모양	사각형	오각형	육각형	칠각형
각기둥의 이름	사각기둥	오각기둥	육각기둥	칠각기둥

밑면이 직사각형, 사다리꼴, 평행사변형이더라도 모두 사각형이므로 사각기둥입니다.

각뿔				
밑면의 모양	삼각형	사각형	오각형	육각형
각뿔의 이름	삼각뿔	사각뿔	오각뿔	육각뿔

각기둥과 각뿔의 이름

각기둥은 밑면의 모양에 따라 밑면이 삼각형이면 삼각기둥, 밑면이 사각형이면 사각기둥, 밑면이 오각형이면 오각기둥, 밑면이 육각형이면 육각기둥……이라고 합니다.

각뿔도 밑면의 모양에 따라 밑면이 삼각형이면 삼각뿔, 밑면이 사각형이면 사각뿔, 밑면이 오각형이면 오각뿔, 밑면이 육각형이면 육각뿔……이라고 합니다.

02 입체도형을 보고 표를 완성해 보세요.

가 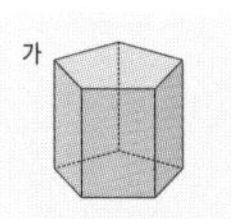 나 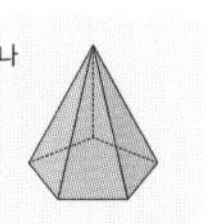

도형	이름	밑면의 모양	밑면의 수(개)	옆면의 모양	옆면의 수(개)
가	오각기둥	오각형	2	직사각형	5
나	오각뿔	오각형	1	삼각형	5

가 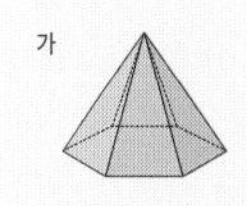 나 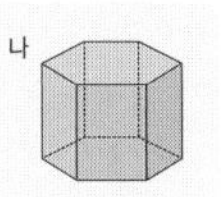

도형	이름	밑면의 모양	밑면의 수(개)	옆면의 모양	옆면의 수(개)
가	육각뿔	육각형	1	삼각형	6
나	육각기둥	육각형	2	직사각형	6

각기둥은 밑면이 2개, 각뿔은 밑면이 1개입니다.
밑면의 모양이 같으면 각기둥과 각뿔의 옆면의 수는 같습니다.

04일 면, 모서리, 꼭짓점

01 표를 완성하고 빈칸에 알맞은 수를 써넣어 면, 모서리, 꼭짓점 수의 관계를 알아보세요.

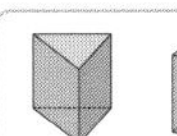   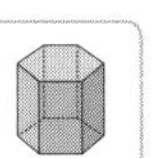

도형	한 밑면의 변의 수(개)	면의 수(개)	모서리의 수(개)	꼭짓점의 수(개)
삼각기둥	3	5	9	6
사각기둥	4	6	12	8
오각기둥	5	7	15	10
육각기둥	6	8	18	12

각기둥의 면의 수는 (한 밑면의 변의 수) + 2 입니다.
각기둥의 모서리의 수는 (한 밑면의 변의 수) × 3 입니다.
각기둥의 꼭짓점의 수는 (한 밑면의 변의 수) × 2 입니다.

면의 수: 한 밑면의 변의 수만큼 옆면이 있고, 밑면이 2개 더 있습니다.
모서리의 수: 밑면 2개의 모서리 수에 두 밑면을 연결하는 모서리가 있습니다.
꼭짓점의 수: 밑면 2개의 꼭짓점 수와 같습니다.

02 표를 완성하고 빈칸에 알맞은 수를 써넣어 면, 모서리, 꼭짓점 수의 관계를 알아보세요.

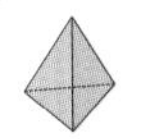 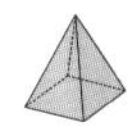  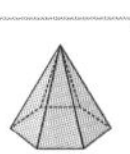

도형	한 밑면의 변의 수(개)	면의 수(개)	모서리의 수(개)	꼭짓점의 수(개)
삼각뿔	3	4	6	4
사각뿔	4	5	8	5
오각뿔	5	6	10	6
육각뿔	6	7	12	7

각뿔의 면의 수는 (밑면의 변의 수) + 1 입니다.
각뿔의 모서리의 수는 (밑면의 변의 수) × 2 입니다.
각뿔의 꼭짓점의 수는 (밑면의 변의 수) + 1 입니다.

면의 수: 밑면의 변의 수만큼 옆면이 있고, 밑면이 1개 더 있습니다.
모서리의 수: 밑면의 모서리 수와 밑면의 꼭짓점과 각뿔의 꼭짓점을 연결하는 모서리가 있습니다.
꼭짓점의 수: 밑면의 변의 수만큼 꼭짓점이 있고, 각뿔의 꼭짓점이 1개 더 있습니다.

16쪽 · 17쪽

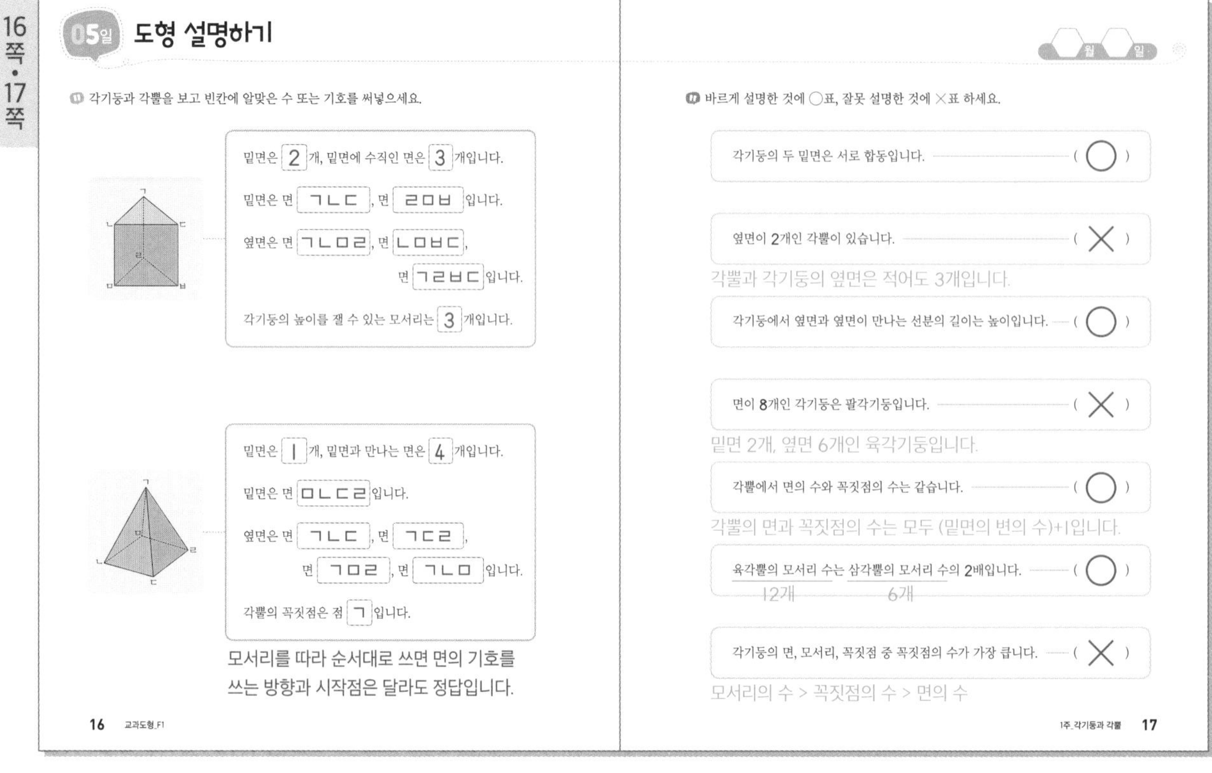
05일 도형 설명하기

각기둥과 각뿔을 보고 빈칸에 알맞은 수 또는 기호를 써넣으세요.

밑면은 2 개, 밑면에 수직인 면은 3 개입니다.
밑면은 면 ㄱㄴㄷ, 면 ㄹㅁㅂ 입니다.
옆면은 면 ㄱㄴㅁㄹ, 면 ㄴㅁㅂㄷ, 면 ㄱㄹㅂㄷ 입니다.
각기둥의 높이를 잴 수 있는 모서리는 3 개입니다.

밑면은 1 개, 밑면과 만나는 면은 4 개입니다.
밑면은 면 ㅁㄴㄷㄹ 입니다.
옆면은 면 ㄱㄴㄷ, 면 ㄱㄷㄹ, 면 ㄱㅁㄹ, 면 ㄱㄴㅁ 입니다.
각뿔의 꼭짓점은 점 ㄱ 입니다.

모서리를 따라 순서대로 쓰면 면의 기호를 쓰는 방향과 시작점은 달라도 정답입니다.

16 교과도형_F1

바르게 설명한 것에 ○표, 잘못 설명한 것에 ×표 하세요.

각기둥의 두 밑면은 서로 합동입니다. (○)

옆면이 2개인 각뿔이 있습니다. (×)
각뿔과 각기둥의 옆면은 적어도 3개입니다.

각기둥에서 옆면과 옆면이 만나는 선분의 길이는 높이입니다. (○)

면이 8개인 각기둥은 팔각기둥입니다. (×)
밑면 2개, 옆면 6개인 육각기둥입니다.

각뿔에서 면의 수와 꼭짓점의 수는 같습니다. (○)
각뿔의 면과 꼭짓점의 수는 모두 (밑면의 변의 수)+1입니다.

육각뿔의 모서리 수는 삼각뿔의 모서리 수의 2배입니다. (○)
12개 6개

각기둥의 면, 모서리, 꼭짓점 중 꼭짓점의 수가 가장 큽니다. (×)
모서리의 수 > 꼭짓점의 수 > 면의 수

1주_각기둥과 각뿔 17

18쪽

설명에 맞는 각기둥 또는 각뿔의 이름을 써 보세요.

- 면의 수는 9개입니다.
- 옆면은 7개입니다.
- 옆면은 모두 직사각형입니다.

(칠각기둥)
옆면이 직사각형이므로 각기둥입니다.

- 밑면은 1개입니다.
- 옆면은 모두 삼각형입니다.
- 옆면은 6개입니다.

(육각뿔)
밑면이 1개이므로 각뿔입니다.

- 밑면의 모양은 오각형입니다.
- 모서리는 10개입니다.
- 면은 6개입니다.

(오각뿔)
면이 밑면의 변의 수보다 1개 더 많으므로 각뿔입니다.

- 면은 7개입니다.
- 꼭짓점은 10개입니다.
- 모서리는 15개입니다.

(오각기둥)
밑면이 2개, 옆면이 5개인 각기둥입니다.

- 모서리는 14개입니다.
- 면과 꼭짓점의 수가 같습니다.
- 면은 8개입니다.

(칠각뿔)
면과 꼭짓점의 수가 같으므로 각뿔입니다.

- 면은 10개입니다.
- 꼭짓점은 면보다 6개 더 많습니다.

(팔각기둥)
밑면이 2개, 옆면이 8개인 각기둥입니다.

18 교과도형_F1

[각기둥과 각뿔의 옆면]

각기둥은 두 밑면이 합동이고, 초등 과정에서는 밑면과 옆면이 수직인 '직각기둥'만 다루므로 각기둥의 옆면은 직사각형이라고 해도 됩니다.
각뿔은 초등 과정에서 '직각뿔'만 다룹니다. 직각뿔은 각뿔의 꼭짓점에서 밑면에 내린 수선의 발이 밑면의 무게중심에 닿는 각뿔입니다. 직각뿔은 옆면이 항상 이등변삼각형이 아니므로 각뿔의 옆면은 삼각형이라고 해야 합니다. 직각뿔은 밑면이 정다각형이나 직사각형이 아니면 옆면이 이등변삼각형이 아닙니다.

옆면이 이등변 삼각형인 직각뿔

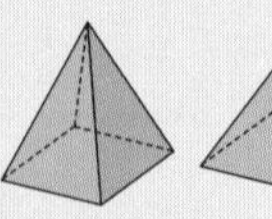
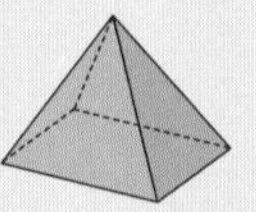
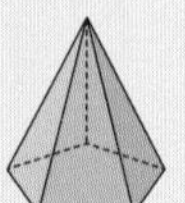

옆면이 이등변 삼각형이 아닌 직각뿔

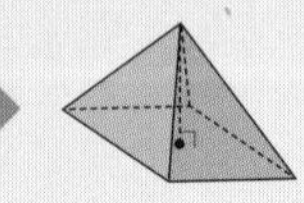

밑면과 무게중심

2주차 각기둥의 전개도

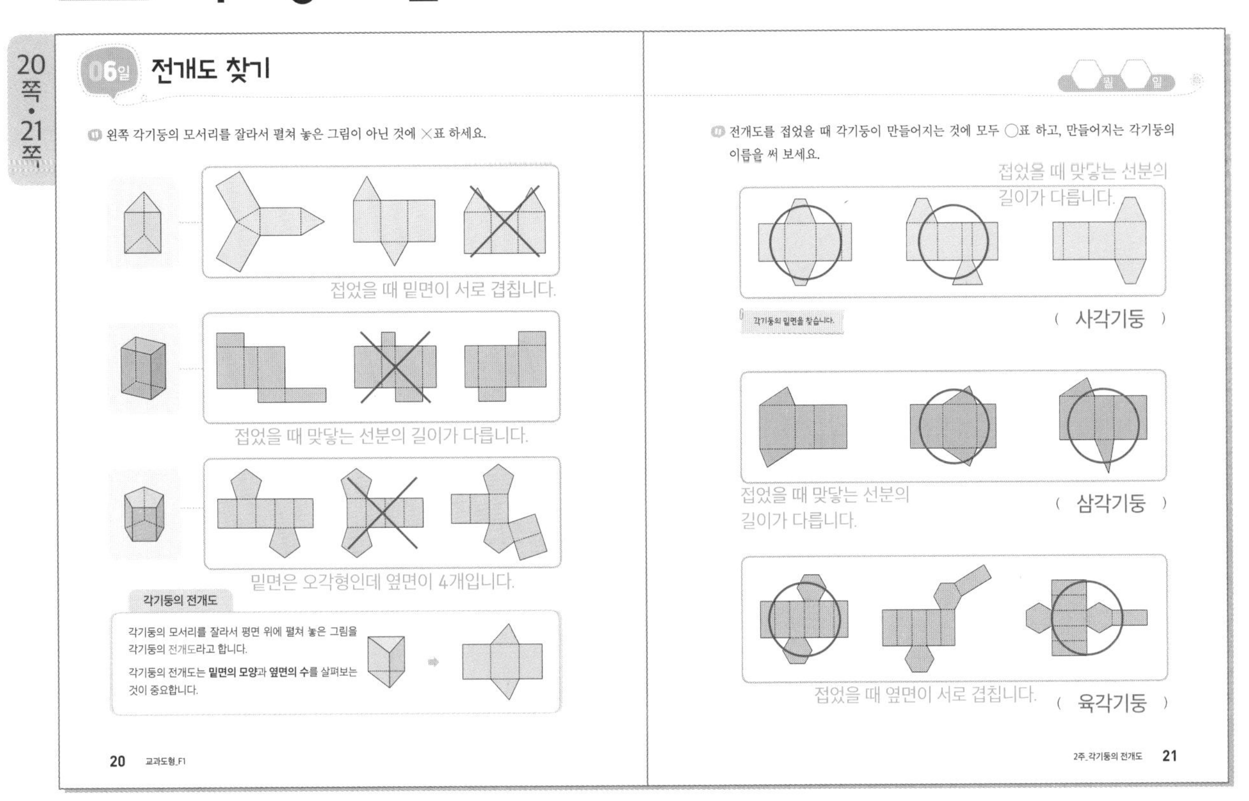

20쪽·21쪽
06일 전개도 찾기
왼쪽 각기둥의 모서리를 잘라서 펼쳐 놓은 그림이 아닌 것에 ×표 하세요.
접었을 때 밑면이 서로 겹칩니다.
접었을 때 맞닿는 선분의 길이가 다릅니다.
밑면은 오각형인데 옆면이 4개입니다.
각기둥의 전개도
각기둥의 모서리를 잘라서 평면 위에 펼쳐 놓은 그림을 각기둥의 전개도라고 합니다.
각기둥의 전개도는 밑면의 모양과 옆면의 수를 살펴보는 것이 중요합니다.
20 교과도형_F1
전개도를 접었을 때 각기둥이 만들어지는 것에 모두 ○표 하고, 만들어지는 각기둥의 이름을 써 보세요.
접었을 때 맞닿는 선분의 길이가 다릅니다.
(사각기둥)
접었을 때 맞닿는 선분의 길이가 다릅니다.
(삼각기둥)
접었을 때 옆면이 서로 겹칩니다.
(육각기둥)
2주 각기둥의 전개도 21

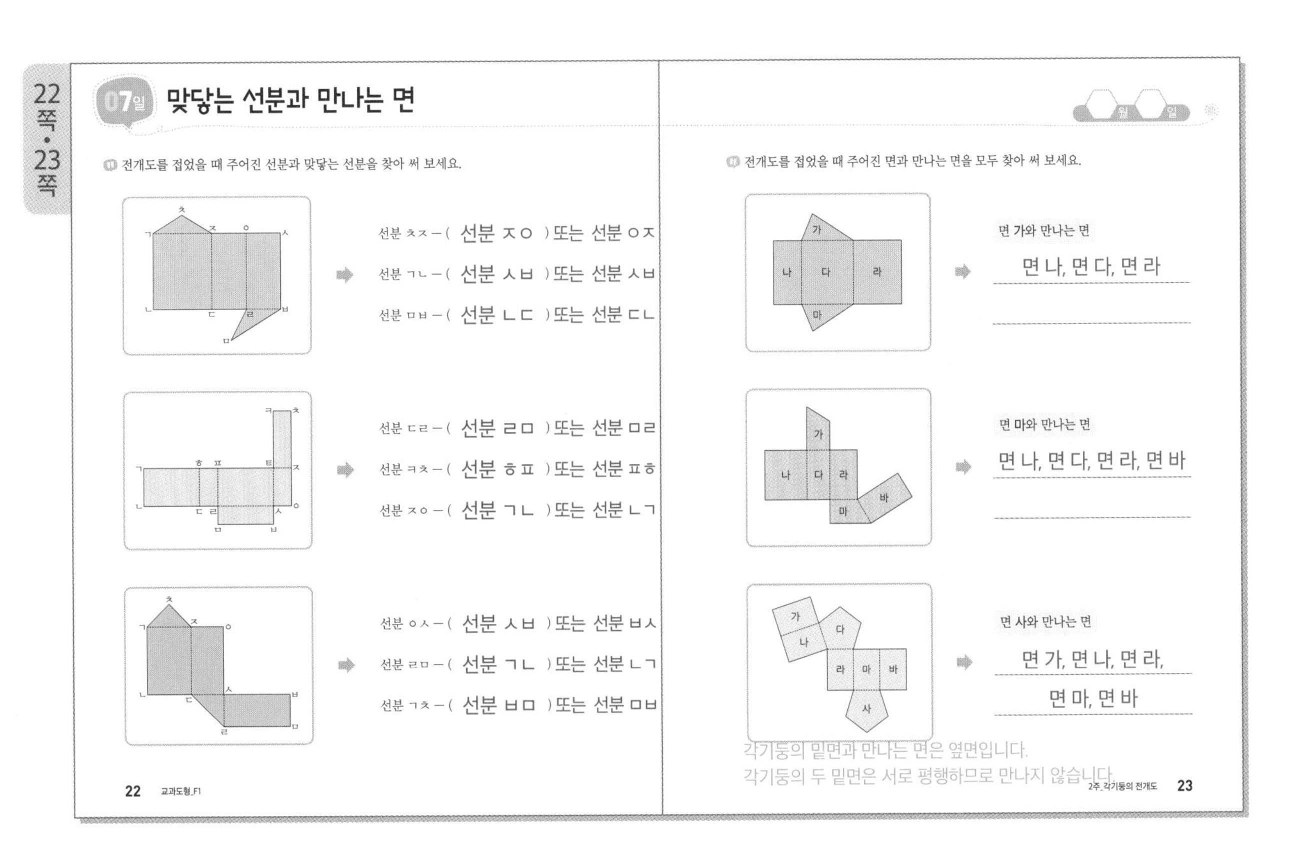

22쪽·23쪽
07일 맞닿는 선분과 만나는 면
전개도를 접었을 때 주어진 선분과 맞닿는 선분을 찾아 써 보세요.
선분 ㅊㅈ－(선분 ㅈㅇ)또는 선분 ㅇㅈ
선분 ㄱㄴ－(선분 ㅅㅂ)또는 선분 ㅅㅂ
선분 ㅁㅂ－(선분 ㄴㄷ)또는 선분 ㄷㄴ
선분 ㄷㄹ－(선분 ㄹㅁ)또는 선분 ㅁㄹ
선분 ㅋㅊ－(선분 ㅎㅍ)또는 선분 ㅍㅎ
선분 ㅈㅇ－(선분 ㄱㄴ)또는 선분 ㄴㄱ
선분 ㅇㅅ－(선분 ㅅㅂ)또는 선분 ㅂㅅ
선분 ㄹㅁ－(선분 ㄱㄴ)또는 선분 ㄴㄱ
선분 ㄱㅊ－(선분 ㅂㅁ)또는 선분 ㅁㅂ
22 교과도형_F1
전개도를 접었을 때 주어진 면과 만나는 면을 모두 찾아 써 보세요.
면 가와 만나는 면
면 나, 면 다, 면 라
면 마와 만나는 면
면 나, 면 다, 면 라, 면 바
면 사와 만나는 면
면 가, 면 나, 면 라,
면 마, 면 바
각기둥의 밑면과 만나는 면은 옆면입니다.
각기둥의 두 밑면은 서로 평행하므로 만나지 않습니다.
2주 각기둥의 전개도 23

24쪽·25쪽

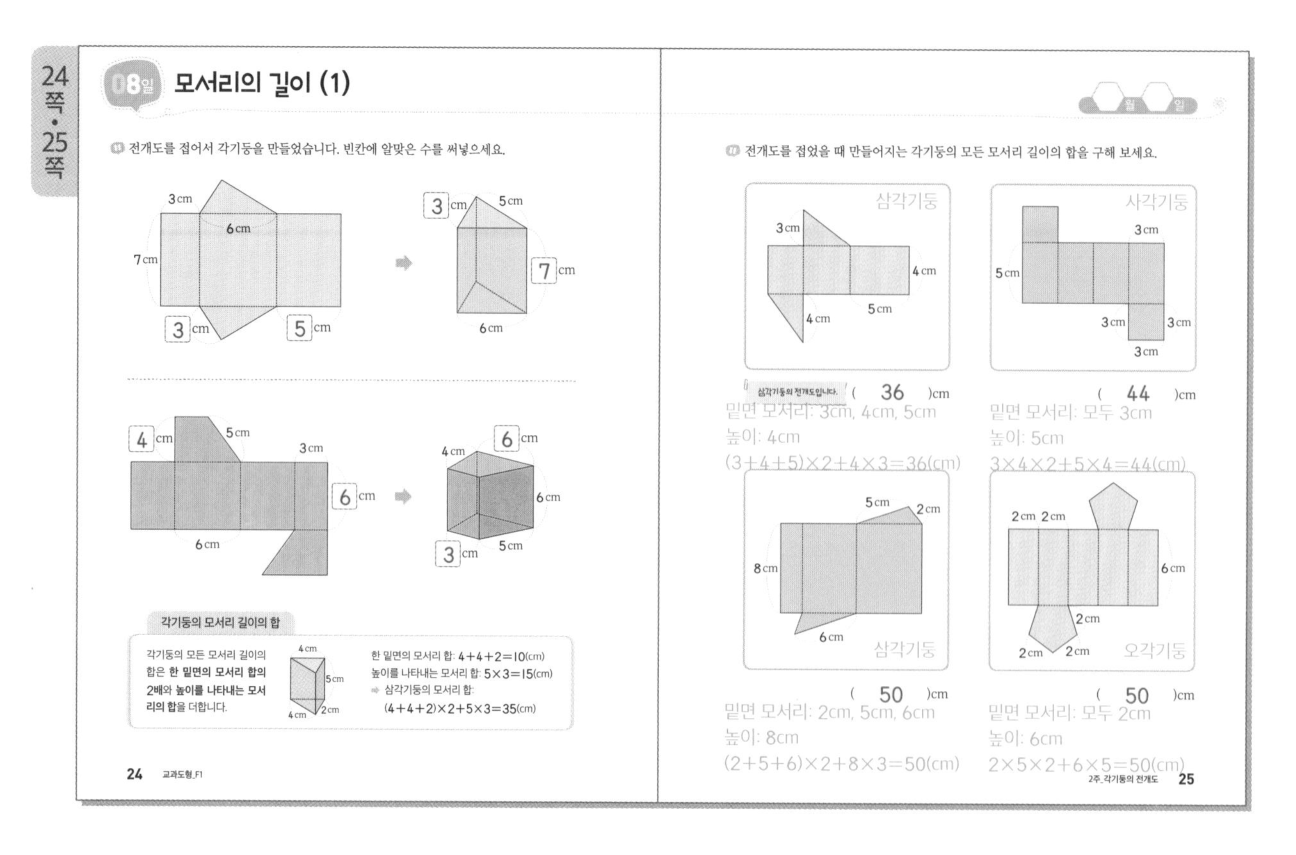

08일 모서리의 길이 (1)

11 전개도를 접어서 각기둥을 만들었습니다. 빈칸에 알맞은 수를 써넣으세요.

각기둥의 모서리 길이의 합

각기둥의 모든 모서리 길이의 합은 **한 밑면의 모서리 합의 2배**와 **높이를 나타내는 모서리의 합**을 더합니다.

한 밑면의 모서리 합: $4+4+2=10$(cm)
높이를 나타내는 모서리 합: $5\times3=15$(cm)
➡ 삼각기둥의 모서리 합:
$(4+4+2)\times2+5\times3=35$(cm)

12 전개도를 접었을 때 만들어지는 각기둥의 모든 모서리 길이의 합을 구해 보세요.

(36)cm

밑면 모서리: 3cm, 4cm, 5cm
높이: 4cm
$(3+4+5)\times2+4\times3=36$(cm)

(44)cm

밑면 모서리: 모두 3cm
높이: 5cm
$3\times4\times2+5\times4=44$(cm)

(50)cm

밑면 모서리: 2cm, 5cm, 6cm
높이: 8cm
$(2+5+6)\times2+8\times3=50$(cm)

(50)cm

밑면 모서리: 모두 2cm
높이: 6cm
$2\times5\times2+6\times5=50$(cm)

24 교과도형_F1 | 2주_각기둥의 전개도 25

26쪽·27쪽

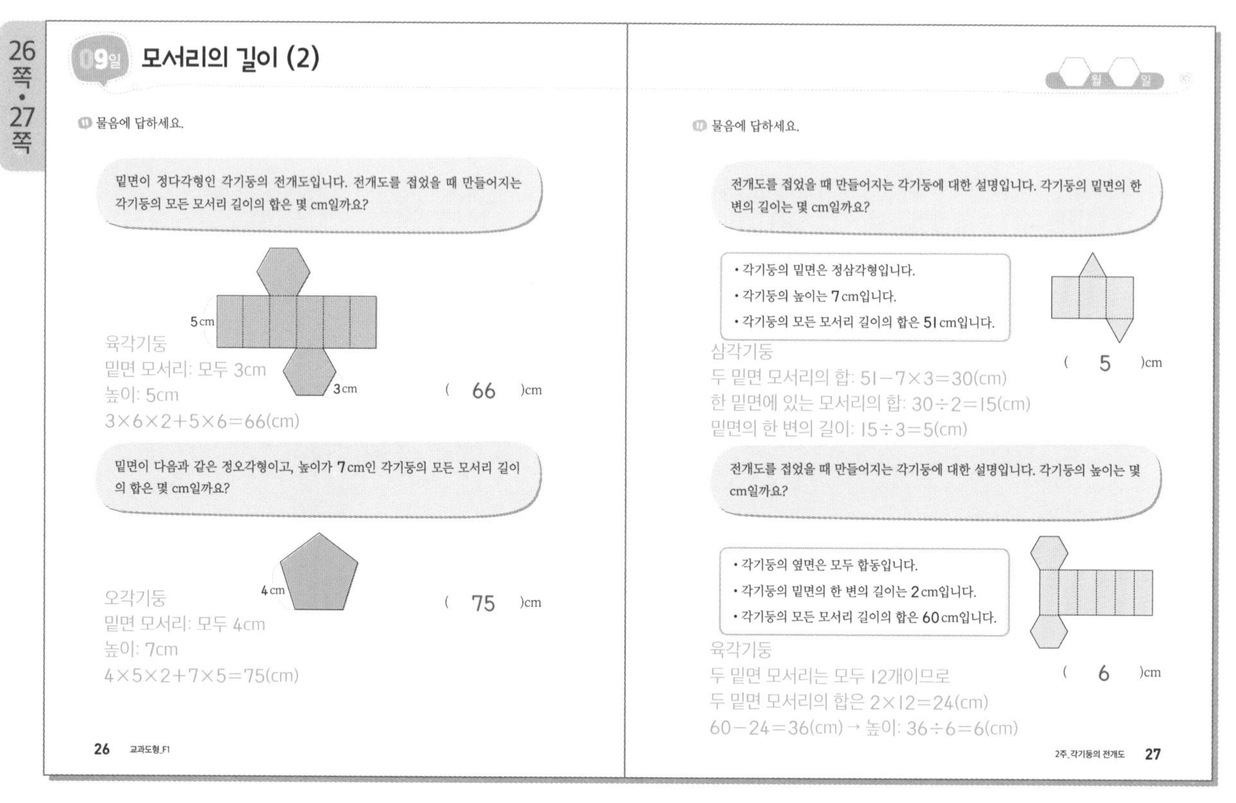

09일 모서리의 길이 (2)

11 물음에 답하세요.

밑면이 정다각형인 각기둥의 전개도입니다. 전개도를 접었을 때 만들어지는 각기둥의 모든 모서리 길이의 합은 몇 cm일까요?

육각기둥
밑면 모서리: 모두 3cm
높이: 5cm
$3\times6\times2+5\times6=66$(cm)

(66)cm

밑면이 다음과 같은 정오각형이고, 높이가 7cm인 각기둥의 모든 모서리 길이의 합은 몇 cm일까요?

오각기둥
밑면 모서리: 모두 4cm
높이: 7cm
$4\times5\times2+7\times5=75$(cm)

(75)cm

12 물음에 답하세요.

전개도를 접었을 때 만들어지는 각기둥에 대한 설명입니다. 각기둥의 밑면의 한 변의 길이는 몇 cm일까요?

- 각기둥의 밑면은 정삼각형입니다.
- 각기둥의 높이는 7cm입니다.
- 각기둥의 모든 모서리 길이의 합은 51cm입니다.

삼각기둥
두 밑면 모서리의 합: $51-7\times3=30$(cm)
한 밑면에 있는 모서리의 합: $30\div2=15$(cm)
밑면의 한 변의 길이: $15\div3=5$(cm)

(5)cm

전개도를 접었을 때 만들어지는 각기둥에 대한 설명입니다. 각기둥의 높이는 몇 cm일까요?

- 각기둥의 옆면은 모두 합동입니다.
- 각기둥의 밑면의 한 변의 길이는 2cm입니다.
- 각기둥의 모든 모서리 길이의 합은 60cm입니다.

육각기둥
두 밑면 모서리는 모두 12개이므로
두 밑면 모서리의 합은 $2\times12=24$(cm)
$60-24=36$(cm) → 높이: $36\div6=6$(cm)

(6)cm

26 교과도형_F1 | 2주_각기둥의 전개도 27

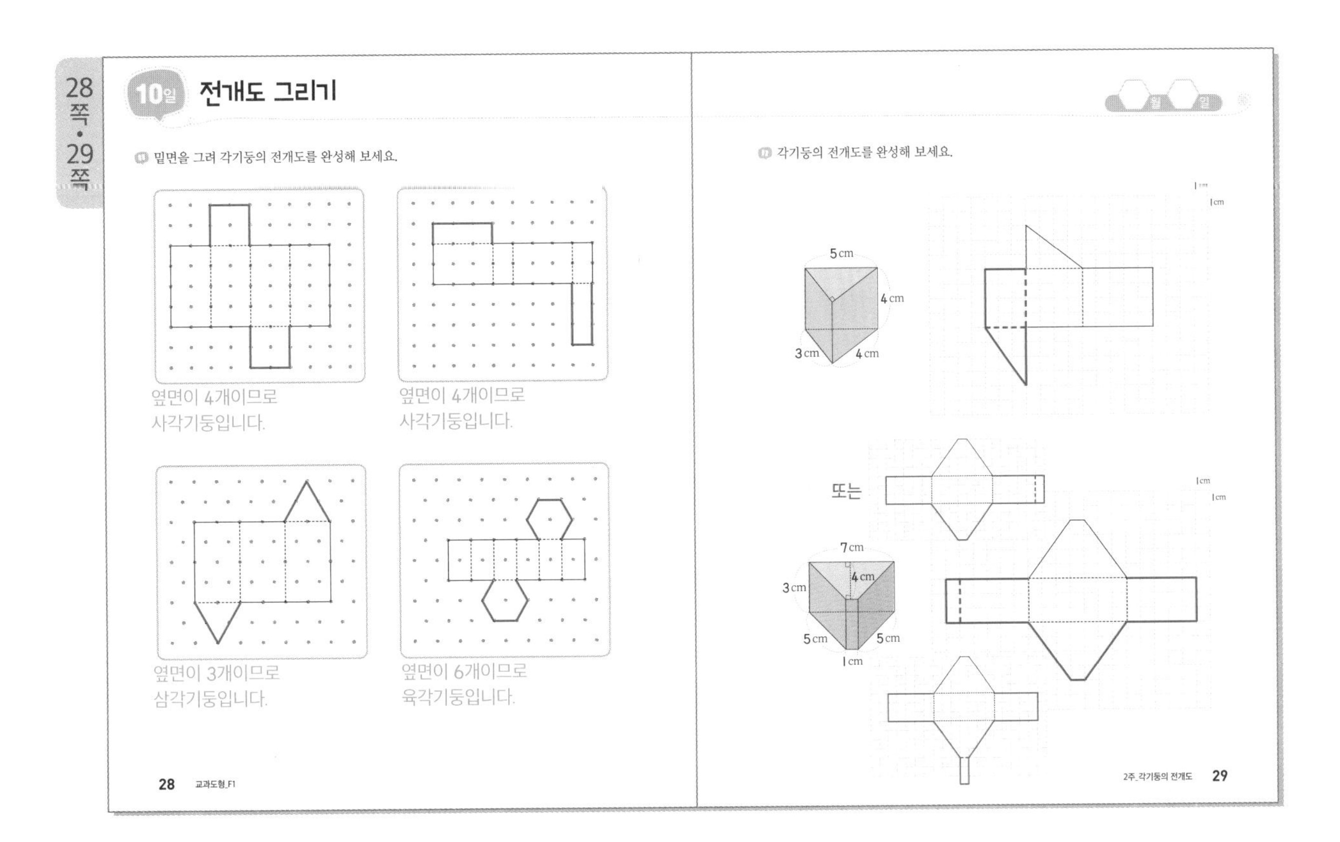
28쪽·29쪽
10일 전개도 그리기
밑면을 그려 각기둥의 전개도를 완성해 보세요.
옆면이 4개이므로
사각기둥입니다.
옆면이 4개이므로
사각기둥입니다.
옆면이 3개이므로
삼각기둥입니다.
옆면이 6개이므로
육각기둥입니다.
28 교과도형_F1
각기둥의 전개도를 완성해 보세요.
5 cm
4 cm
3 cm
4 cm
또는
7 cm
3 cm
4 cm
5 cm
5 cm
1 cm
2주_각기둥의 전개도 29

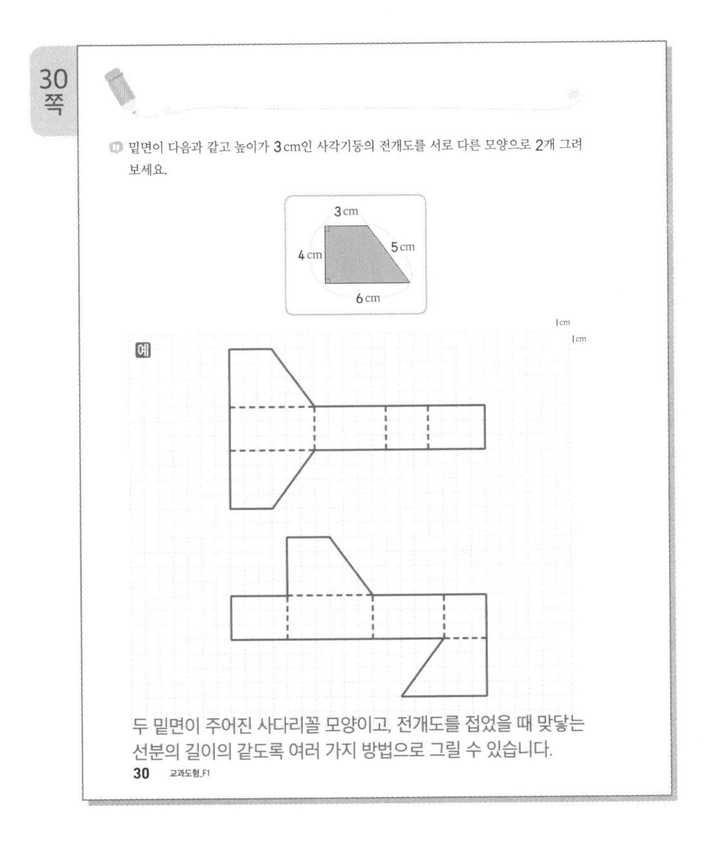
30쪽
밑면이 다음과 같고 높이가 3 cm인 사각기둥의 전개도를 서로 다른 모양으로 2개 그려 보세요.
3 cm
4 cm
5 cm
6 cm
예
두 밑면이 주어진 사다리꼴 모양이고, 전개도를 접었을 때 맞닿는
선분의 길이의 같도록 여러 가지 방법으로 그릴 수 있습니다.
30 교과도형_F1

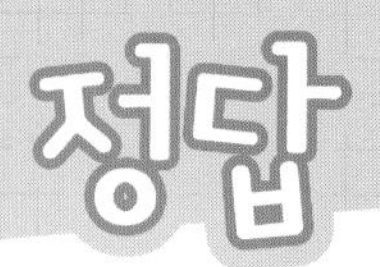

3주차 직육면체의 부피

32쪽·33쪽

11일 1cm³

① 쌓기나무 1개의 부피가 1 cm³입니다. 쌓기나무의 수를 세어 직육면체의 부피를 구해 보세요.

한 층에 있는 쌓기나무 수에 층 수만큼 곱합니다.

$2 \times 2 \times 3 = 12$ (개) — 직육면체의 부피 12 cm³

$4 \times 3 \times 2 = 24$ (개) — 직육면체의 부피 24 cm³

$4 \times 3 \times 3 = 36$ (개) — 직육면체의 부피 36 cm³

$5 \times 3 \times 4 = 60$ (개) — 직육면체의 부피 60 cm³

곱하는 세 수의 순서는 바뀌어도 정답입니다.

한 층에 있는 쌓기나무의 수는 가로와 세로에 있는 쌓기나무의 수를 곱하면 됩니다.
따라서 직육면체 모양으로 쌓은 쌓기나무의 수는 가로, 세로, 높이에 있는 쌓기나무의 수를 곱하여 구합니다.

② 부피가 1 cm³인 쌓기나무를 직육면체 모양으로 쌓았습니다. 직육면체의 부피를 구하고, 빈칸에 알맞은 수를 써넣으세요.

8 cm³, 16 cm³, 64 cm³, 16 cm³, 32 cm³

직육면체의 가로가 2배 길어지면 부피는 2배 커집니다.

직육면체의 세로가 2배 길어지면 부피는 2배 커집니다.

직육면체의 가로와 세로가 각각 2배씩 길어지면 부피는 4배 커집니다.

직육면체의 가로, 세로, 높이가 각각 2배씩 길어지면 부피는 8배 커집니다.

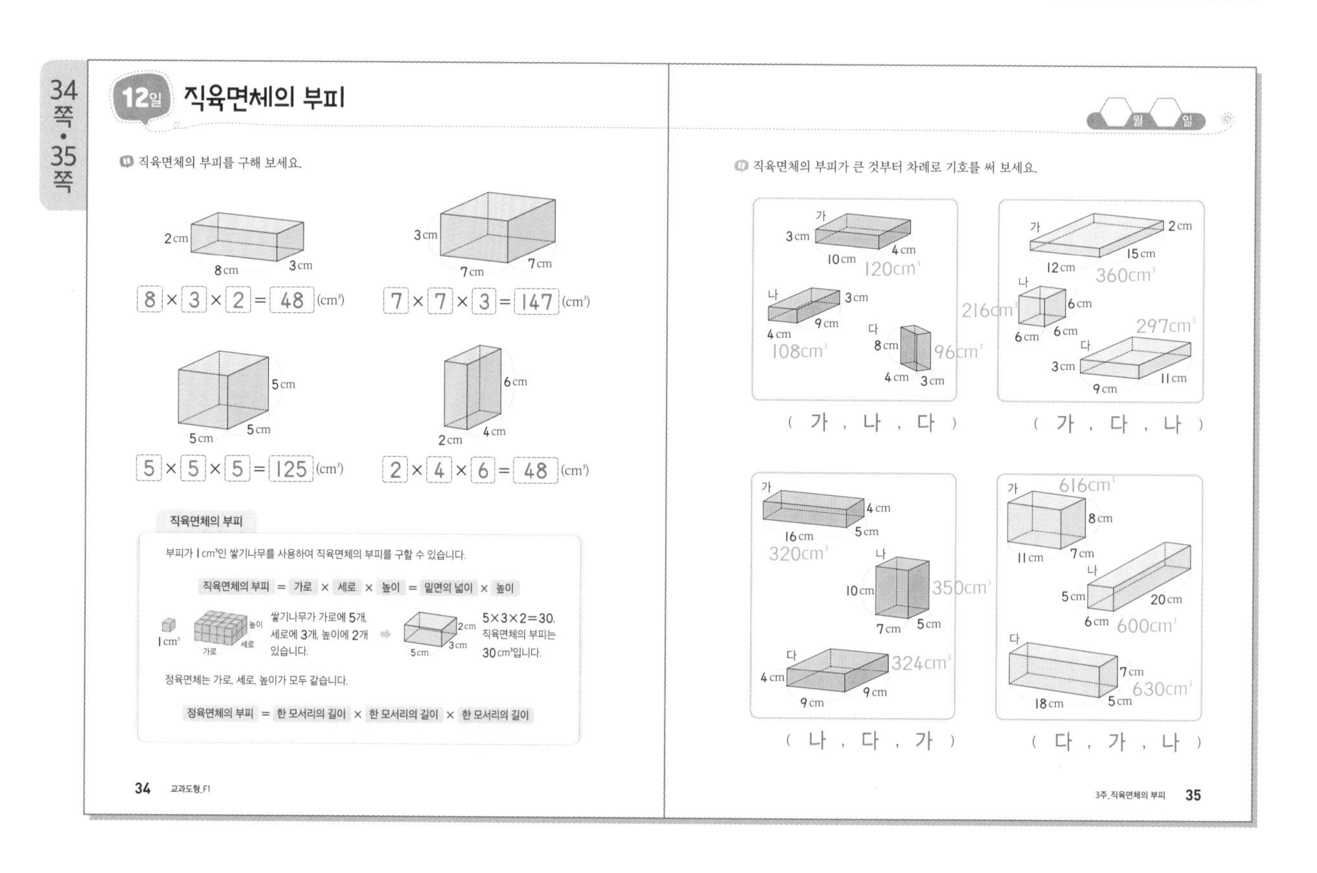
34쪽·35쪽

12일 직육면체의 부피

① 직육면체의 부피를 구해 보세요.

$8 \times 3 \times 2 = 48$ (cm³)

$7 \times 7 \times 3 = 147$ (cm³)

$5 \times 5 \times 5 = 125$ (cm³)

$2 \times 4 \times 6 = 48$ (cm³)

직육면체의 부피

부피가 1 cm³인 쌓기나무를 사용하여 직육면체의 부피를 구할 수 있습니다.

직육면체의 부피 = 가로 × 세로 × 높이 = 밑면의 넓이 × 높이

쌓기나무가 가로에 5개, 세로에 3개, 높이에 2개 있습니다. ⇒ 5×3×2=30, 직육면체의 부피는 30 cm³입니다.

정육면체는 가로, 세로, 높이가 모두 같습니다.

정육면체의 부피 = 한 모서리의 길이 × 한 모서리의 길이 × 한 모서리의 길이

② 직육면체의 부피가 큰 것부터 차례로 기호를 써 보세요.

가 120cm³, 나 108cm³, 다 96cm³ — (가 , 나 , 다)

가 360cm³, 나 216cm³, 다 297cm³ — (가 , 다 , 나)

가 320cm³, 나 350cm³, 다 324cm³ — (나 , 다 , 가)

가 616cm³, 나 600cm³, 다 630cm³ — (다 , 가 , 나)

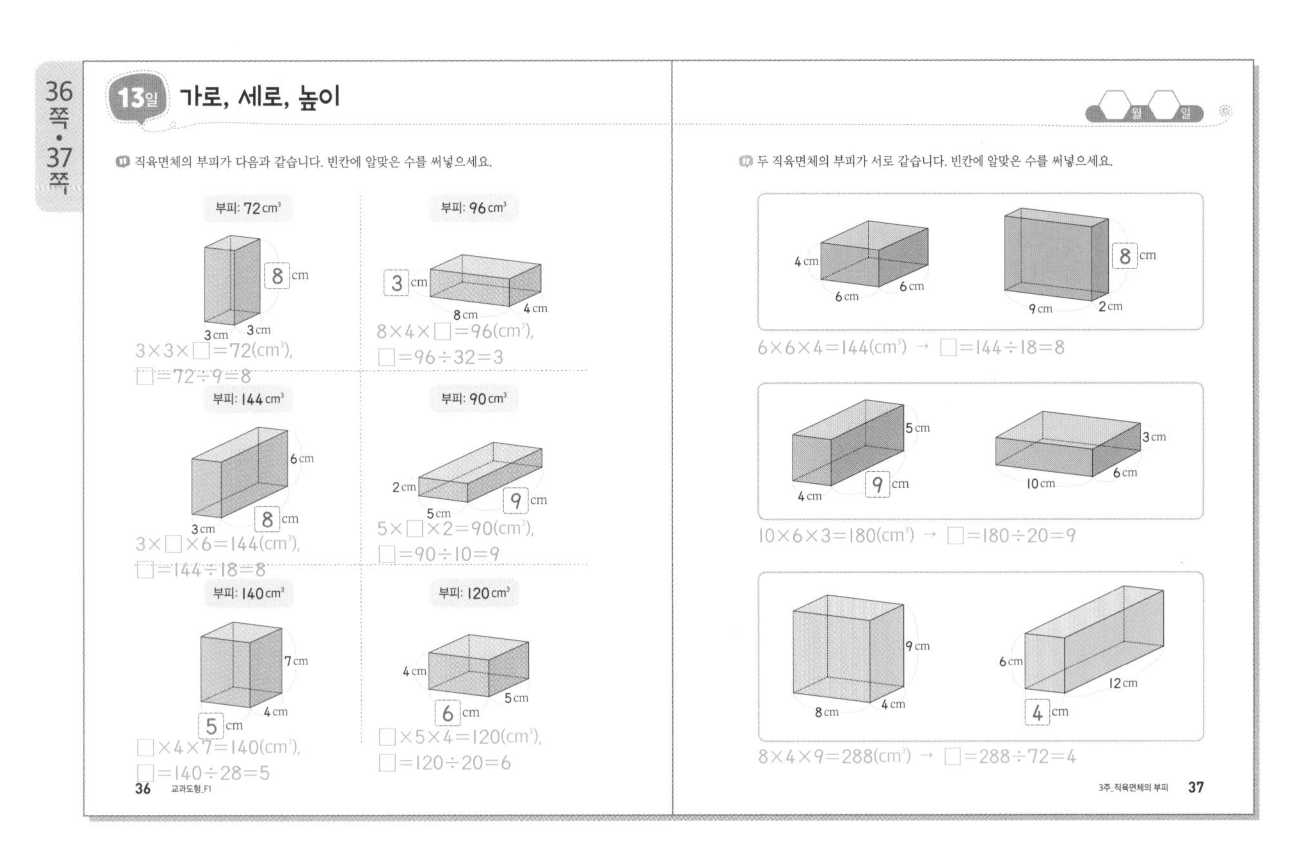
36쪽 · 37쪽
13일 가로, 세로, 높이
직육면체의 부피가 다음과 같습니다. 빈칸에 알맞은 수를 써넣으세요.
부피: 72 cm³
8 cm
3×3×□=72(cm³), □=72÷9=8
부피: 96 cm³
3 cm
8×4×□=96(cm³), □=96÷32=3
부피: 144 cm³
8 cm
3×□×6=144(cm³), □=144÷18=8
부피: 90 cm³
9 cm
5×□×2=90(cm³), □=90÷10=9
부피: 140 cm³
5 cm
□×4×7=140(cm³), □=140÷28=5
부피: 120 cm³
6 cm
□×5×4=120(cm³), □=120÷20=6
두 직육면체의 부피가 서로 같습니다. 빈칸에 알맞은 수를 써넣으세요.
6×6×4=144(cm³) → □=144÷18=8
10×6×3=180(cm³) → □=180÷20=9
8×4×9=288(cm³) → □=288÷72=4
36 교과도형_F1
3주_직육면체의 부피 37

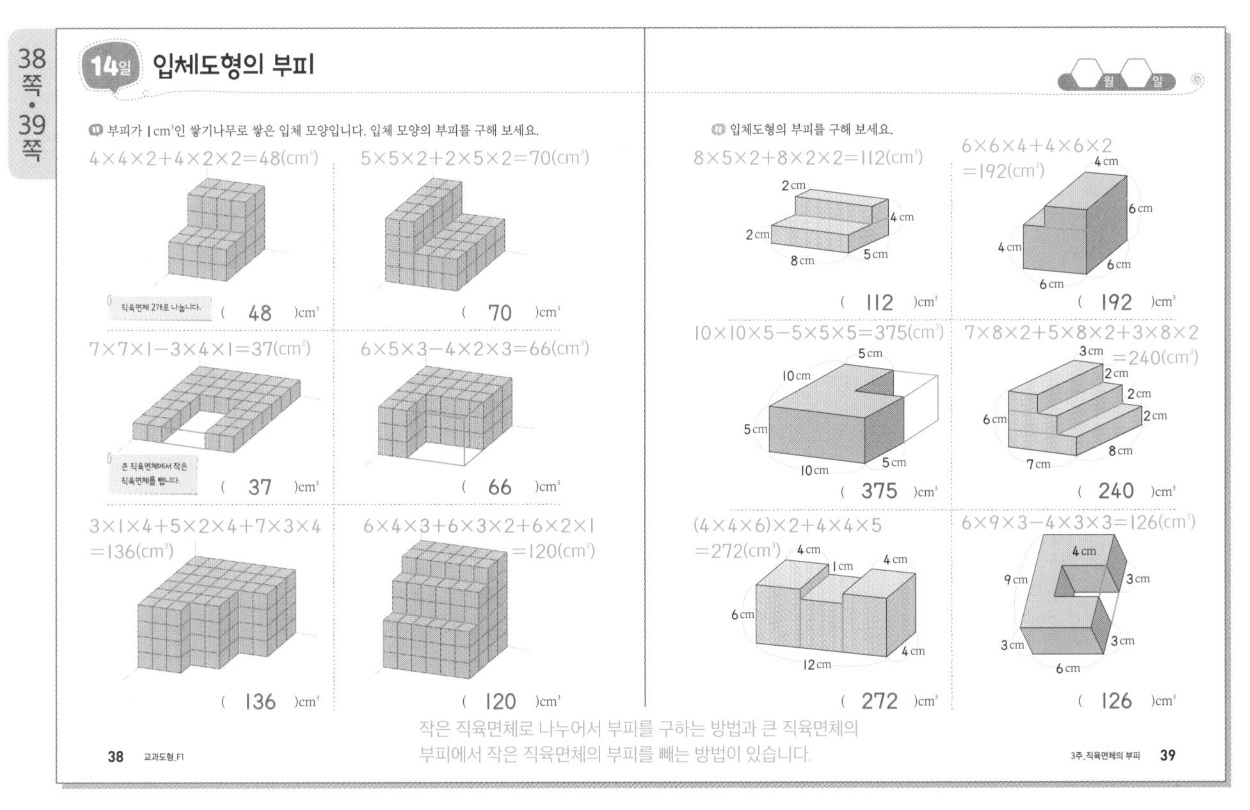
38쪽 · 39쪽
14일 입체도형의 부피
부피가 1 cm³인 쌓기나무로 쌓은 입체 모양입니다. 입체 모양의 부피를 구해 보세요.
4×4×2+4×2×2=48(cm³)
직육면체 2개로 나눕니다.
(48)cm³
5×5×2+2×5×2=70(cm³)
(70)cm³
7×7×1−3×4×1=37(cm³)
큰 직육면체에서 작은 직육면체를 뺍니다.
(37)cm³
6×5×3−4×2×3=66(cm³)
(66)cm³
3×1×4+5×2×4+7×3×4 =136(cm³)
(136)cm³
6×4×3+6×3×2+6×2×1 =120(cm³)
(120)cm³
입체도형의 부피를 구해 보세요.
8×5×2+8×2×2=112(cm³)
(112)cm³
6×6×4+4×6×2 =192(cm³)
(192)cm³
10×10×5−5×5×5=375(cm³)
(375)cm³
7×8×2+5×8×2+3×8×2 =240(cm³)
(240)cm³
(4×4×6)×2+4×4×5 =272(cm³)
(272)cm³
6×9×3−4×3×3=126(cm³)
(126)cm³
작은 직육면체로 나누어서 부피를 구하는 방법과 큰 직육면체의 부피에서 작은 직육면체의 부피를 빼는 방법이 있습니다.
38 교과도형_F1
3주_직육면체의 부피 39

40쪽 · 41쪽

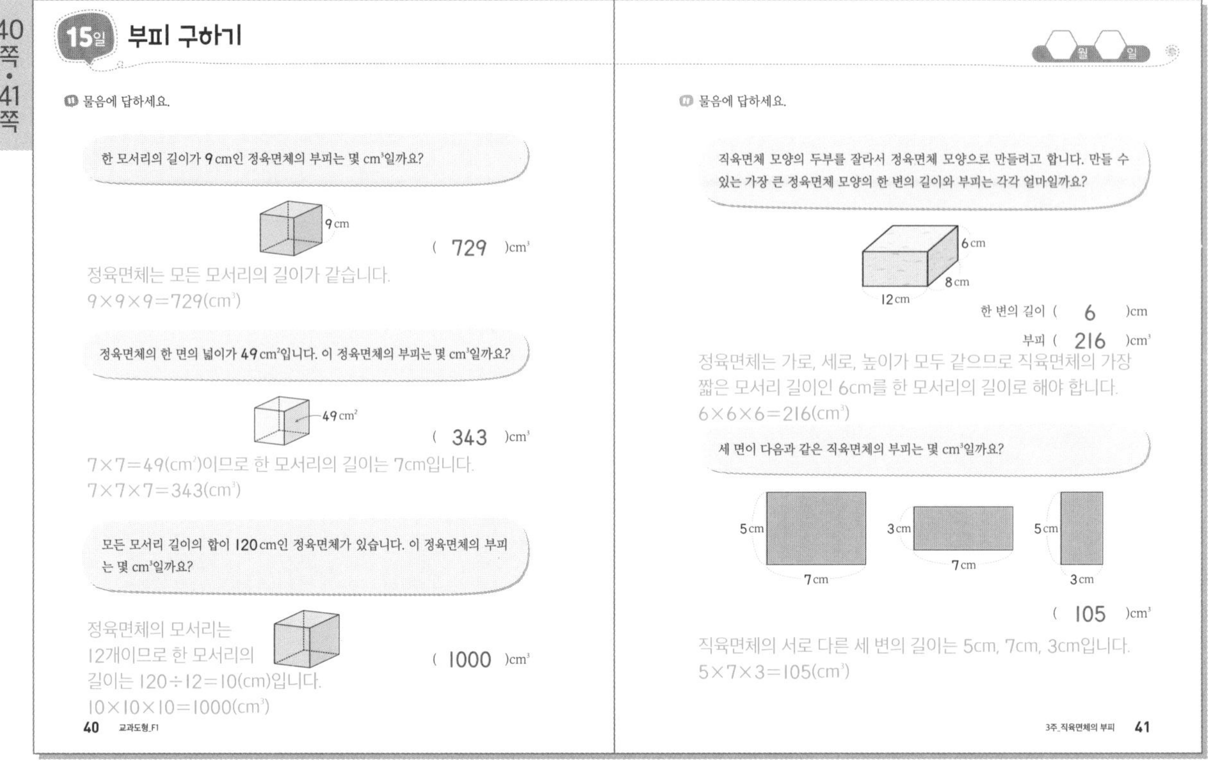

15일 부피 구하기

월 일

11 물음에 답하세요.

한 모서리의 길이가 9 cm인 정육면체의 부피는 몇 cm^3일까요?

(729) cm^3

정육면체는 모든 모서리의 길이가 같습니다.
$9\times9\times9=729(cm^3)$

정육면체의 한 면의 넓이가 49 cm^2입니다. 이 정육면체의 부피는 몇 cm^3일까요?

(343) cm^3

$7\times7=49(cm^2)$이므로 한 모서리의 길이는 7cm입니다.
$7\times7\times7=343(cm^3)$

모든 모서리 길이의 합이 120 cm인 정육면체가 있습니다. 이 정육면체의 부피는 몇 cm^3일까요?

(1000) cm^3

정육면체의 모서리는 12개이므로 한 모서리의 길이는 $120\div12=10(cm)$입니다.
$10\times10\times10=1000(cm^3)$

40 교과도형_F1

12 물음에 답하세요.

직육면체 모양의 두부를 잘라서 정육면체 모양으로 만들려고 합니다. 만들 수 있는 가장 큰 정육면체 모양의 한 변의 길이와 부피는 각각 얼마일까요?

한 변의 길이 (6) cm
부피 (216) cm^3

정육면체는 가로, 세로, 높이가 모두 같으므로 직육면체의 가장 짧은 모서리 길이인 6cm를 한 모서리의 길이로 해야 합니다.
$6\times6\times6=216(cm^3)$

세 면이 다음과 같은 직육면체의 부피는 몇 cm^3일까요?

(105) cm^3

직육면체의 서로 다른 세 변의 길이는 5cm, 7cm, 3cm입니다.
$5\times7\times3=105(cm^3)$

3주_직육면체의 부피 41

42쪽

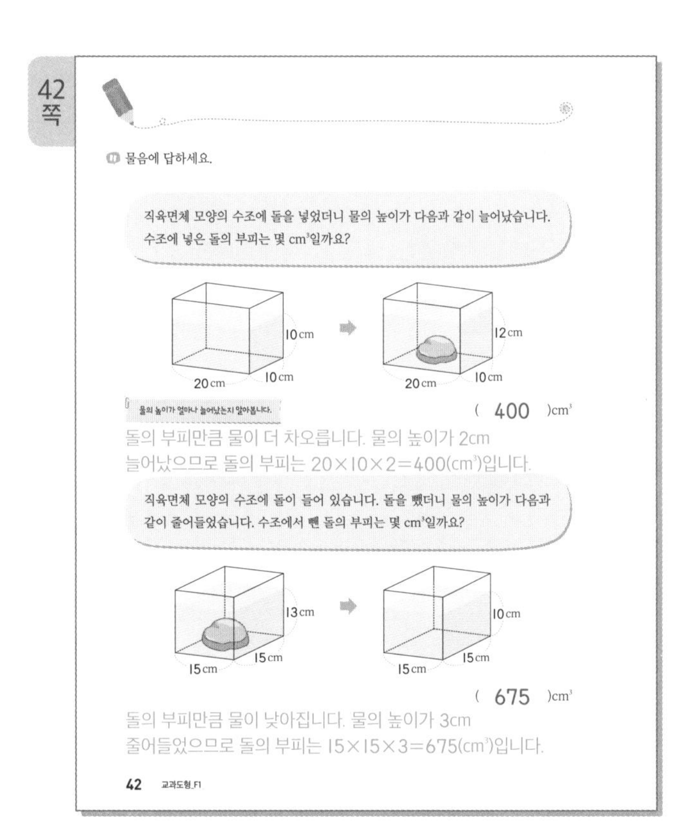

13 물음에 답하세요.

직육면체 모양의 수조에 돌을 넣었더니 물의 높이가 다음과 같이 늘어났습니다. 수조에 넣은 돌의 부피는 몇 cm^3일까요?

물의 높이가 얼마나 늘어났는지 알아봅니다.

(400) cm^3

돌의 부피만큼 물이 더 차오릅니다. 물의 높이가 2cm 늘어났으므로 돌의 부피는 $20\times10\times2=400(cm^3)$입니다.

직육면체 모양의 수조에 돌이 들어 있습니다. 돌을 뺐더니 물의 높이가 다음과 같이 줄어들었습니다. 수조에서 뺀 돌의 부피는 몇 cm^3일까요?

(675) cm^3

돌의 부피만큼 물이 낮아집니다. 물의 높이가 3cm 줄어들었으므로 돌의 부피는 $15\times15\times3=675(cm^3)$입니다.

42 교과도형_F1

4주차 직육면체의 겉넓이

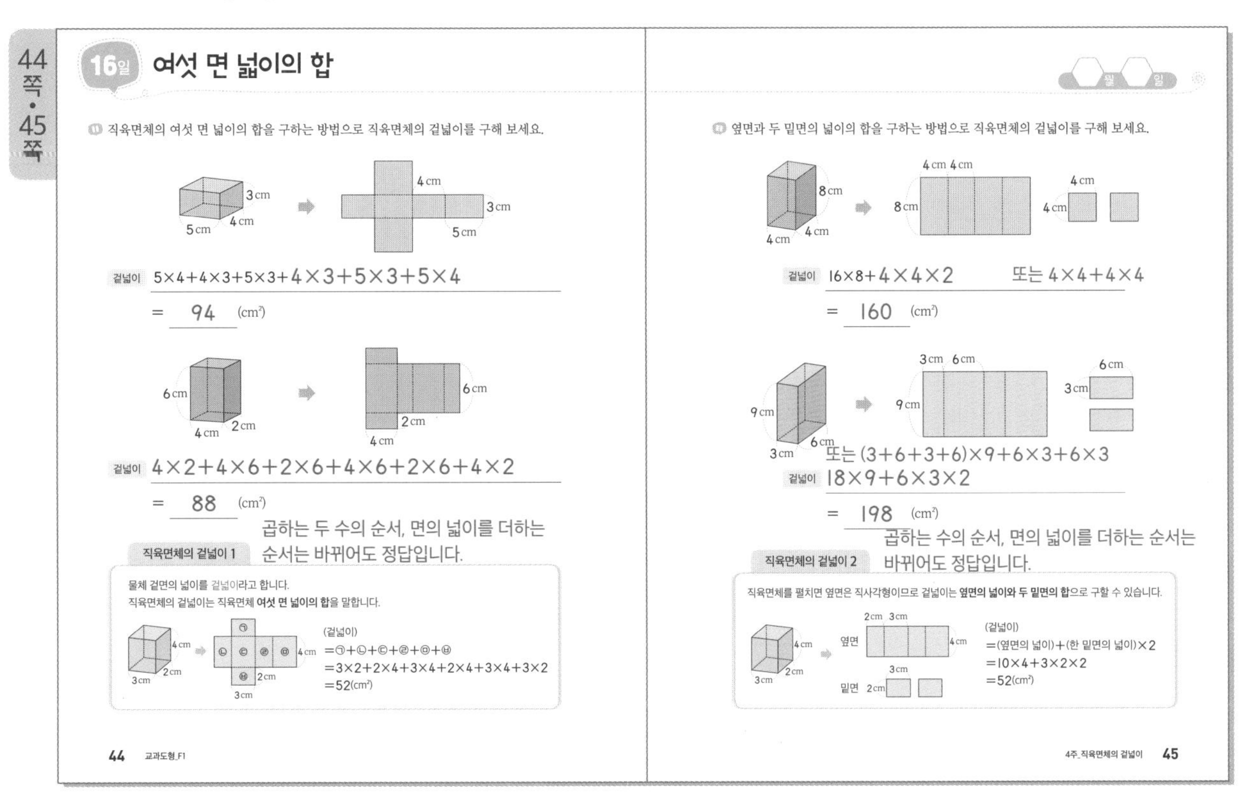

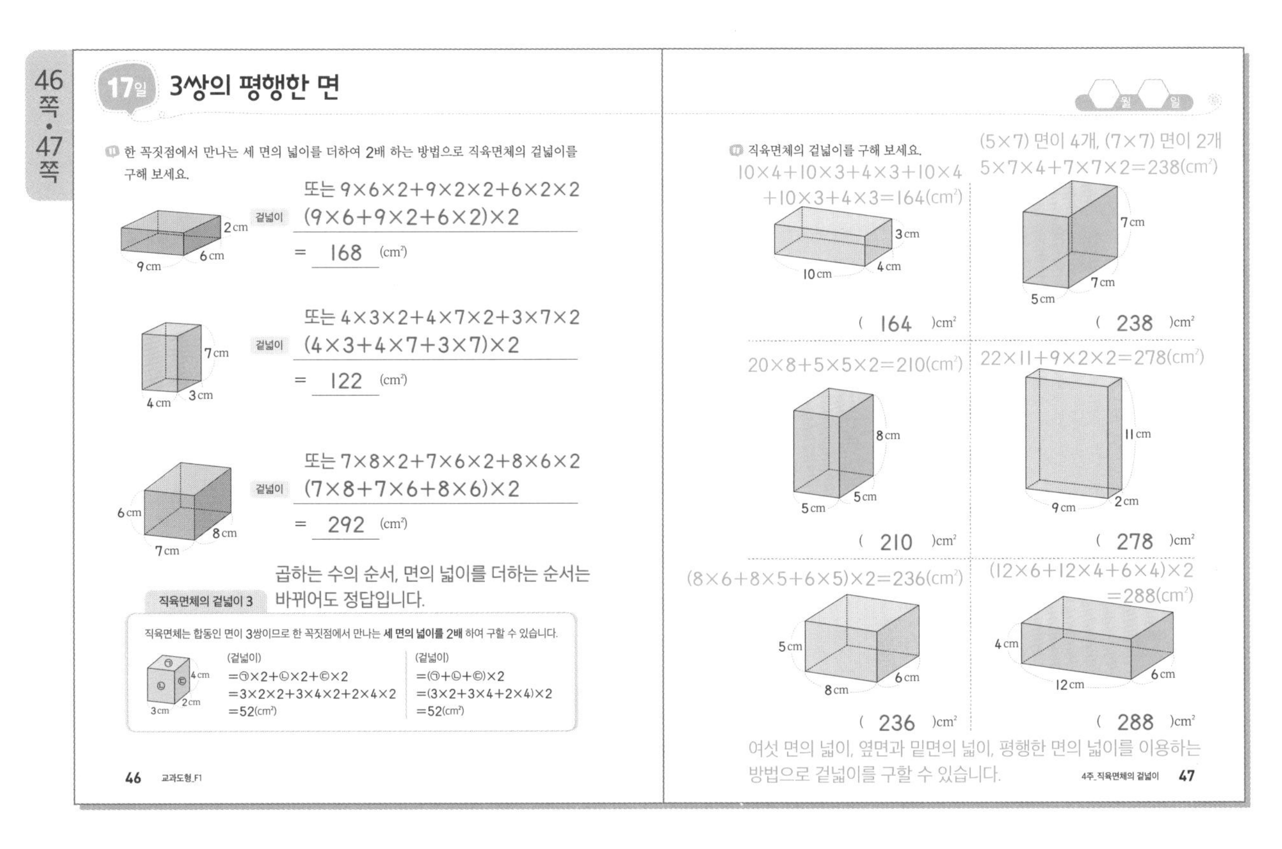

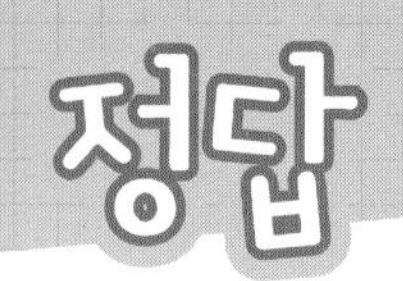

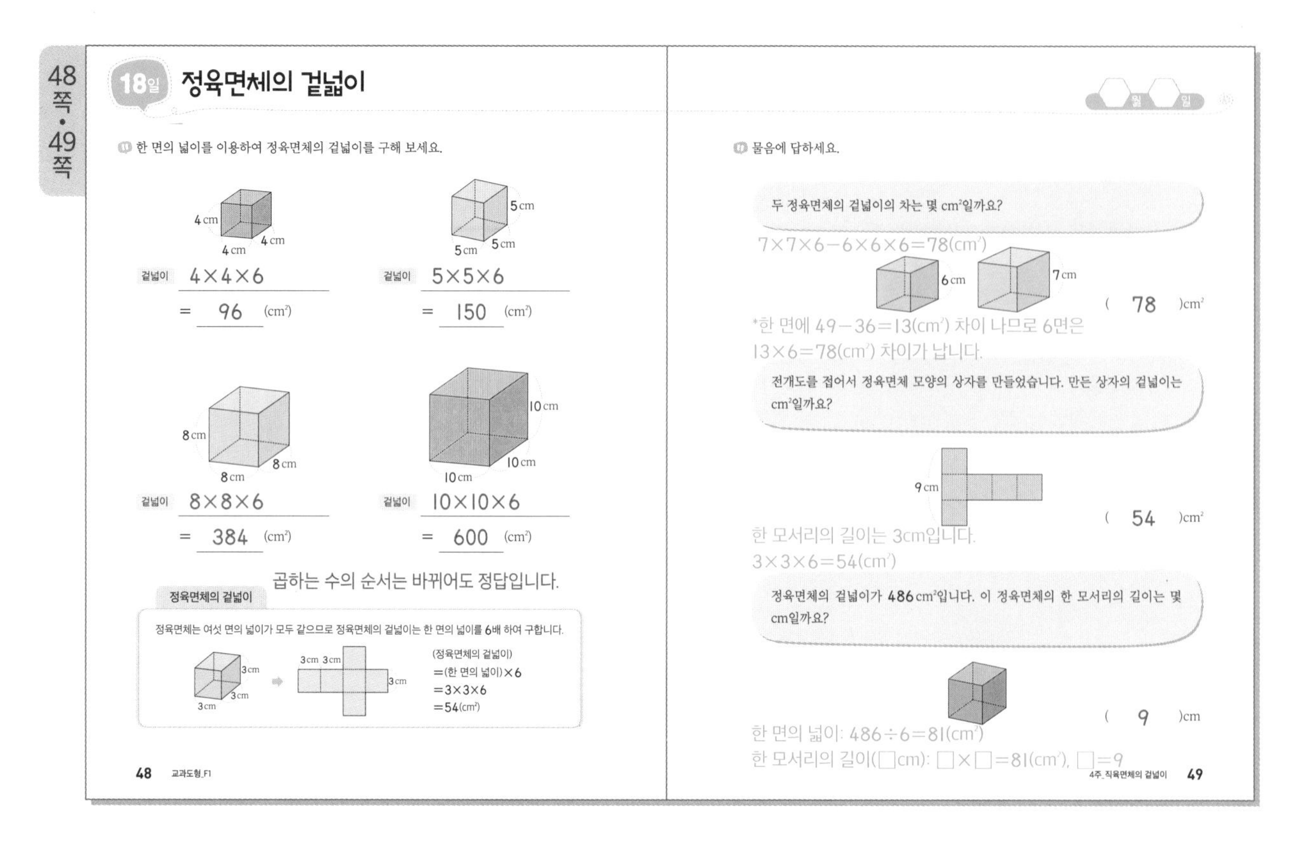
48쪽·49쪽

18일 정육면체의 겉넓이

한 면의 넓이를 이용하여 정육면체의 겉넓이를 구해 보세요.

- (4 cm, 4 cm, 4 cm) 겉넓이 $4\times4\times6$ = 96 (cm²)
- (5 cm, 5 cm, 5 cm) 겉넓이 $5\times5\times6$ = 150 (cm²)
- (8 cm, 8 cm, 8 cm) 겉넓이 $8\times8\times6$ = 384 (cm²)
- (10 cm, 10 cm, 10 cm) 겉넓이 $10\times10\times6$ = 600 (cm²)

곱하는 수의 순서는 바뀌어도 정답입니다.

정육면체의 겉넓이

정육면체는 여섯 면의 넓이가 모두 같으므로 정육면체의 겉넓이는 한 면의 넓이를 6배 하여 구합니다.

(정육면체의 겉넓이)
=(한 면의 넓이)×6
=3×3×6
=54(cm²)

물음에 답하세요.

두 정육면체의 겉넓이의 차는 몇 cm²일까요?

$7\times7\times6-6\times6\times6=78$(cm²)

(78)cm²

*한 면에 $49-36=13$(cm²) 차이 나므로 6면은 $13\times6=78$(cm²) 차이가 납니다.

전개도를 접어서 정육면체 모양의 상자를 만들었습니다. 만든 상자의 겉넓이는 몇 cm²일까요?

(54)cm²

한 모서리의 길이는 3cm입니다.
$3\times3\times6=54$(cm²)

정육면체의 겉넓이가 486 cm²입니다. 이 정육면체의 한 모서리의 길이는 몇 cm일까요?

(9)cm

한 면의 넓이: $486\div6=81$(cm²)
한 모서리의 길이(□cm): □×□=81(cm²), □=9

48 교과도형_F1 · 4주_직육면체의 겉넓이 49

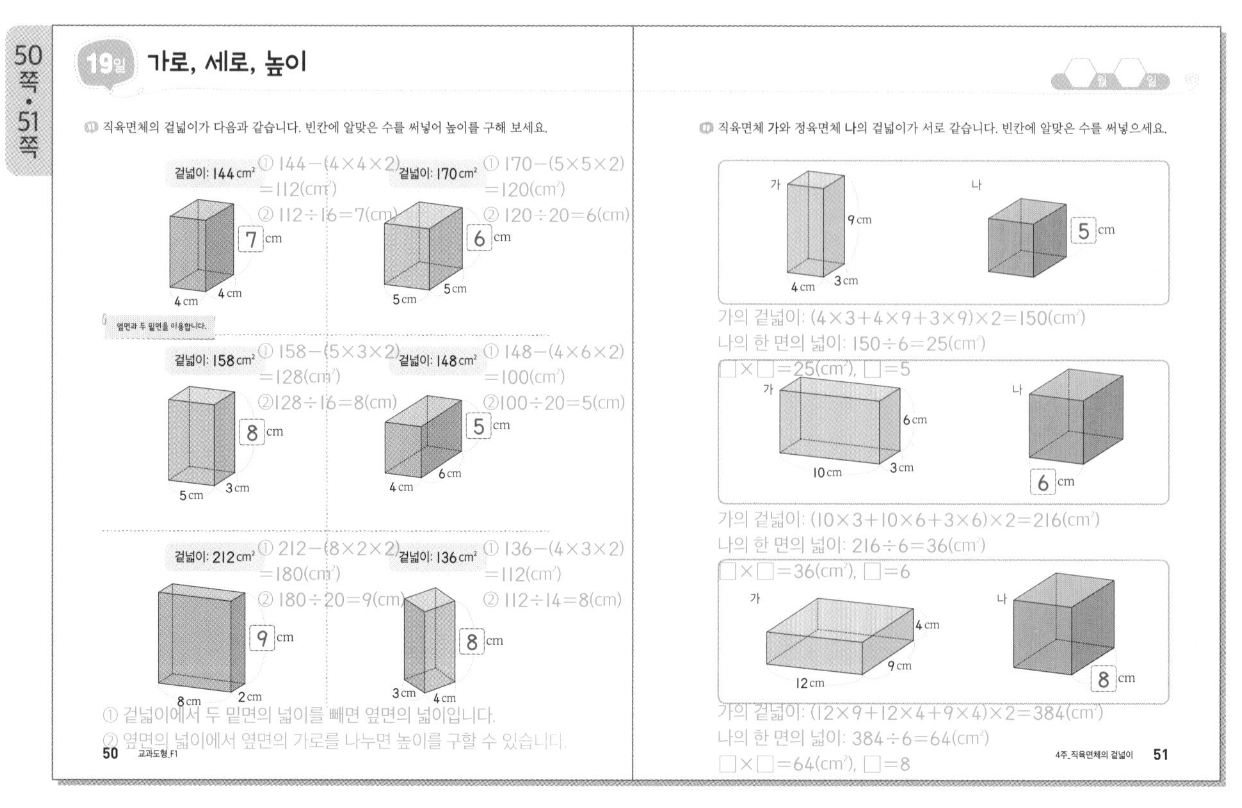
50쪽·51쪽

19일 가로, 세로, 높이

직육면체의 겉넓이가 다음과 같습니다. 빈칸에 알맞은 수를 써넣어 높이를 구해 보세요.

- 겉넓이: 144 cm² (4 cm, 4 cm) ① $144-(4\times4\times2)=112$(cm²) ② $112\div16=7$(cm) → 7 cm
- 겉넓이: 170 cm² (5 cm, 5 cm) ① $170-(5\times5\times2)=120$(cm²) ② $120\div20=6$(cm) → 6 cm
- 겉넓이: 158 cm² (5 cm, 3 cm) ① $158-(5\times3\times2)=128$(cm²) ② $128\div16=8$(cm) → 8 cm
- 겉넓이: 148 cm² (4 cm, 6 cm) ① $148-(4\times6\times2)=100$(cm²) ② $100\div20=5$(cm) → 5 cm
- 겉넓이: 212 cm² (8 cm, 2 cm) ① $212-(8\times2\times2)=180$(cm²) ② $180\div20=9$(cm) → 9 cm
- 겉넓이: 136 cm² (3 cm, 4 cm) ① $136-(4\times3\times2)=112$(cm²) ② $112\div14=8$(cm) → 8 cm

옆면과 두 밑면을 이용합니다.

① 겉넓이에서 두 밑면의 넓이를 빼면 옆면의 넓이입니다.
② 옆면의 넓이에서 옆면의 가로를 나누면 높이를 구할 수 있습니다.

직육면체 가와 정육면체 나의 겉넓이가 서로 같습니다. 빈칸에 알맞은 수를 써넣으세요.

가 (4 cm, 3 cm, 9 cm) / 나 5 cm
가의 겉넓이: $(4\times3+4\times9+3\times9)\times2=150$(cm²)
나의 한 면의 넓이: $150\div6=25$(cm²)
□×□=25(cm²), □=5

가 (10 cm, 3 cm, 6 cm) / 나 6 cm
가의 겉넓이: $(10\times3+10\times6+3\times6)\times2=216$(cm²)
나의 한 면의 넓이: $216\div6=36$(cm²)
□×□=36(cm²), □=6

가 (12 cm, 9 cm, 4 cm) / 나 8 cm
가의 겉넓이: $(12\times9+12\times4+9\times4)\times2=384$(cm²)
나의 한 면의 넓이: $384\div6=64$(cm²)
□×□=64(cm²), □=8

50 교과도형_F1 · 4주_직육면체의 겉넓이 51

52쪽·53쪽

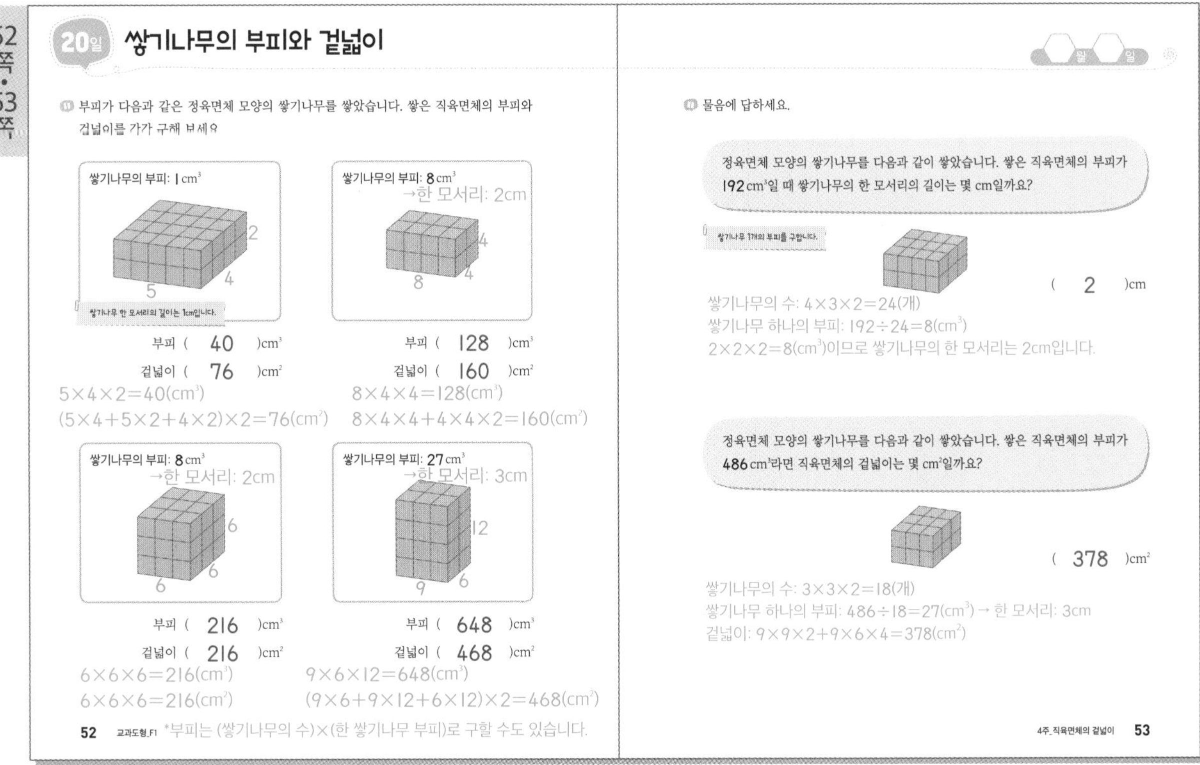

20일 쌓기나무의 부피와 겉넓이

⑪ 부피가 다음과 같은 정육면체 모양의 쌓기나무를 쌓았습니다. 쌓은 직육면체의 부피와 겉넓이를 각각 구해 보세요.

쌓기나무의 부피: $1\,cm^3$

쌓기나무 한 모서리의 길이는 1cm입니다.

부피 (40)cm^3

겉넓이 (76)cm^2

$5\times4\times2=40(cm^3)$

$(5\times4+5\times2+4\times2)\times2=76(cm^2)$

쌓기나무의 부피: $8\,cm^3$ →한 모서리: 2cm

부피 (128)cm^3

겉넓이 (160)cm^2

$8\times4\times4=128(cm^3)$

$8\times4\times4+4\times4\times2=160(cm^2)$

쌓기나무의 부피: $8\,cm^3$ →한 모서리: 2cm

부피 (216)cm^3

겉넓이 (216)cm^2

$6\times6\times6=216(cm^3)$

$6\times6\times6=216(cm^2)$

쌓기나무의 부피: $27\,cm^3$ →한 모서리: 3cm

부피 (648)cm^3

겉넓이 (468)cm^2

$9\times6\times12=648(cm^3)$

$(9\times6+9\times12+6\times12)\times2=468(cm^2)$

*부피는 (쌓기나무의 수)×(한 쌓기나무 부피)로 구할 수도 있습니다.

52 교과도형_F1

⑫ 물음에 답하세요.

정육면체 모양의 쌓기나무를 다음과 같이 쌓았습니다. 쌓은 직육면체의 부피가 $192\,cm^3$일 때 쌓기나무의 한 모서리의 길이는 몇 cm일까요?

쌓기나무 1개의 부피를 구합니다.

(2)cm

쌓기나무의 수: $4\times3\times2=24$(개)

쌓기나무 하나의 부피: $192\div24=8(cm^3)$

$2\times2\times2=8(cm^3)$이므로 쌓기나무의 한 모서리는 2cm입니다.

정육면체 모양의 쌓기나무를 다음과 같이 쌓았습니다. 쌓은 직육면체의 부피가 $486\,cm^3$라면 직육면체의 겉넓이는 몇 cm^2일까요?

(378)cm^2

쌓기나무의 수: $3\times3\times2=18$(개)

쌓기나무 하나의 부피: $486\div18=27(cm^3)$ → 한 모서리: 3cm

겉넓이: $9\times9\times2+9\times6\times4=378(cm^2)$

4주_직육면체의 겉넓이 53

54쪽

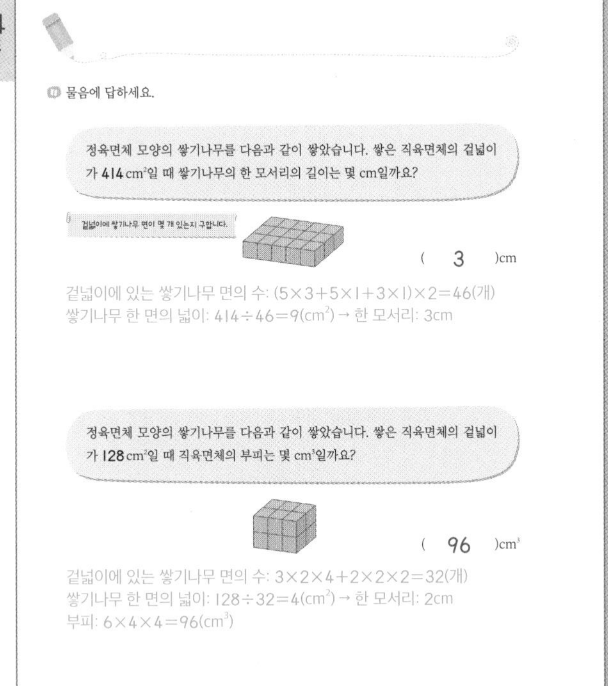

⑬ 물음에 답하세요.

정육면체 모양의 쌓기나무를 다음과 같이 쌓았습니다. 쌓은 직육면체의 겉넓이가 $414\,cm^2$일 때 쌓기나무의 한 모서리의 길이는 몇 cm일까요?

겉넓이에 쌓기나무 면이 몇 개 있는지 구합니다.

(3)cm

겉넓이에 있는 쌓기나무 면의 수: $(5\times3+5\times1+3\times1)\times2=46$(개)

쌓기나무 한 면의 넓이: $414\div46=9(cm^2)$ → 한 모서리: 3cm

정육면체 모양의 쌓기나무를 다음과 같이 쌓았습니다. 쌓은 직육면체의 겉넓이가 $128\,cm^2$일 때 직육면체의 부피는 몇 cm^3일까요?

(96)cm^3

겉넓이에 있는 쌓기나무 면의 수: $3\times2\times4+2\times2\times2=32$(개)

쌓기나무 한 면의 넓이: $128\div32=4(cm^2)$ → 한 모서리: 2cm

부피: $6\times4\times4=96(cm^3)$

54 교과도형_F1

도형 플러스+ cm³와 m³

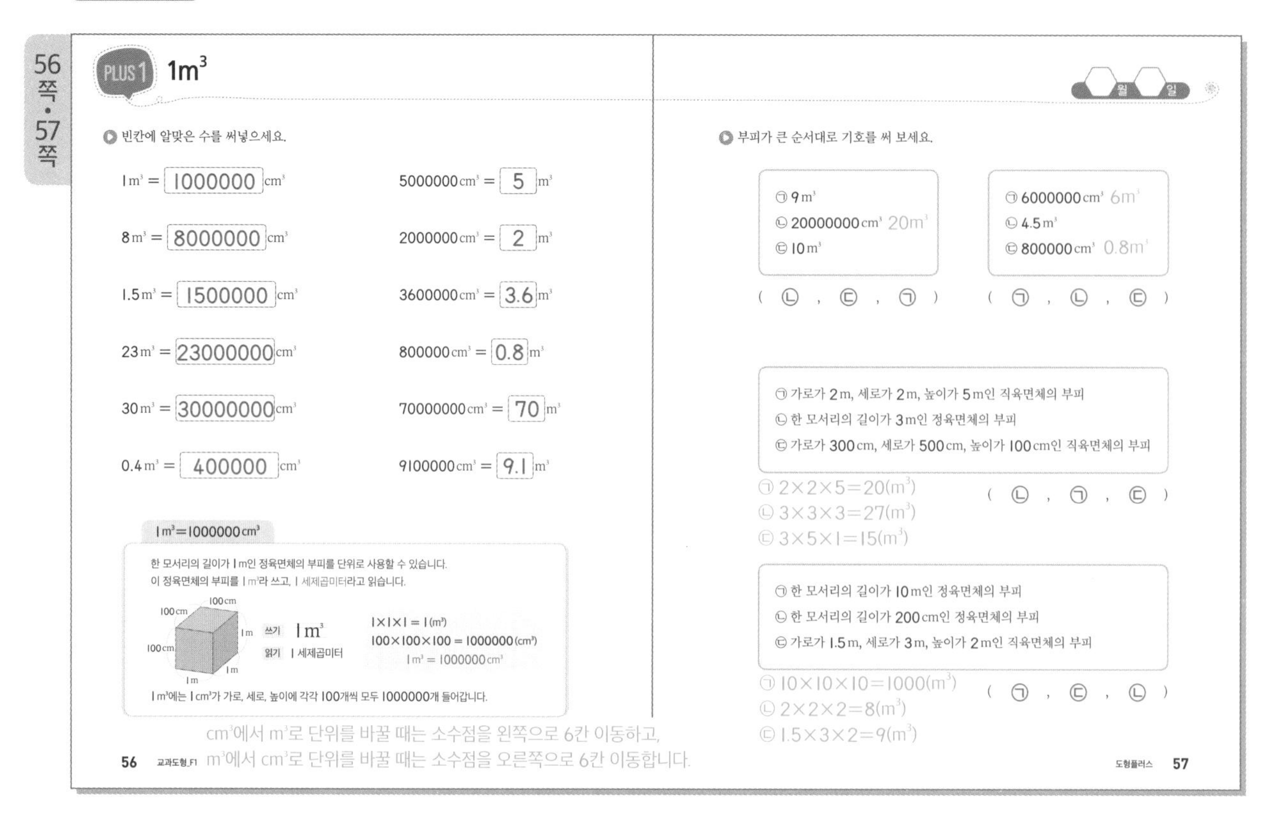

56쪽·57쪽

PLUS 1 $1m^3$

▶ 빈칸에 알맞은 수를 써넣으세요.

$1m^3$ = 1000000 cm^3 / 5000000cm^3 = 5 m^3

$8m^3$ = 8000000 cm^3 / 2000000cm^3 = 2 m^3

$1.5m^3$ = 1500000 cm^3 / 3600000cm^3 = 3.6 m^3

$23m^3$ = 23000000 cm^3 / 800000cm^3 = 0.8 m^3

$30m^3$ = 30000000 cm^3 / 70000000cm^3 = 70 m^3

$0.4m^3$ = 400000 cm^3 / 9100000cm^3 = 9.1 m^3

$1m^3$=1000000cm^3

한 모서리의 길이가 1m인 정육면체의 부피를 단위로 사용할 수 있습니다.
이 정육면체의 부피를 $1m^3$라 쓰고, 1 세제곱미터라고 읽습니다.

$1m^3$에는 $1cm^3$가 가로, 세로, 높이에 각각 100개씩 모두 1000000개 들어갑니다.

cm^3에서 m^3로 단위를 바꿀 때는 소수점을 왼쪽으로 6칸 이동하고, m^3에서 cm^3로 단위를 바꿀 때는 소수점을 오른쪽으로 6칸 이동합니다.

▶ 부피가 큰 순서대로 기호를 써 보세요.

㉠ $9m^3$
㉡ 20000000cm^3 $20m^3$
㉢ $10m^3$

(㉡ , ㉢ , ㉠)

㉠ 6000000cm^3 $6m^3$
㉡ $4.5m^3$
㉢ 800000cm^3 $0.8m^3$

(㉠ , ㉡ , ㉢)

㉠ 가로가 2m, 세로가 2m, 높이가 5m인 직육면체의 부피
㉡ 한 모서리의 길이가 3m인 정육면체의 부피
㉢ 가로가 300cm, 세로가 500cm, 높이가 100cm인 직육면체의 부피

㉠ $2\times2\times5=20(m^3)$
㉡ $3\times3\times3=27(m^3)$
㉢ $3\times5\times1=15(m^3)$

(㉡ , ㉠ , ㉢)

㉠ 한 모서리의 길이가 10m인 정육면체의 부피
㉡ 한 모서리의 길이가 200cm인 정육면체의 부피
㉢ 가로가 1.5m, 세로가 3m, 높이가 2m인 직육면체의 부피

㉠ $10\times10\times10=1000(m^3)$
㉡ $2\times2\times2=8(m^3)$
㉢ $1.5\times3\times2=9(m^3)$

(㉠ , ㉢ , ㉡)

56 교과도형_F1 / 도형플러스 57

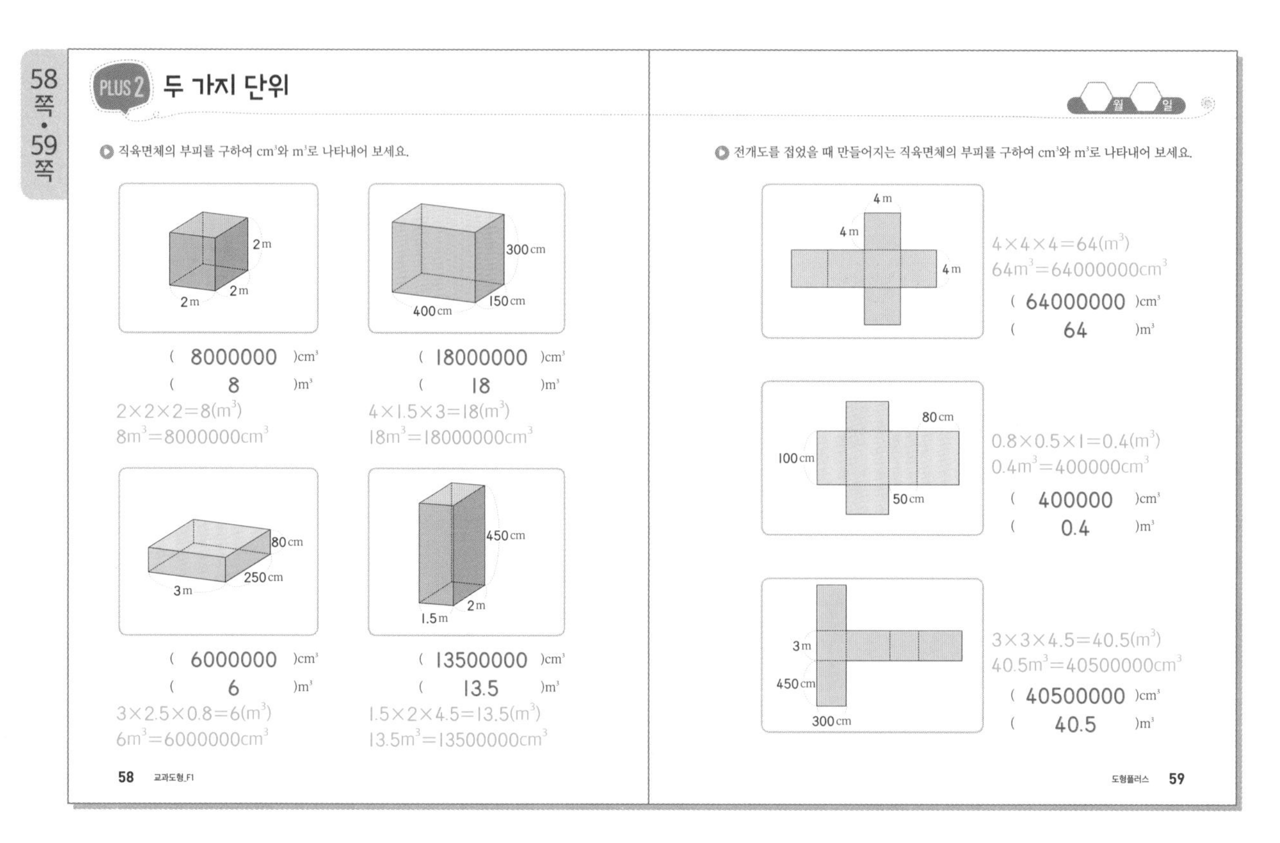

58쪽·59쪽

PLUS 2 두 가지 단위

▶ 직육면체의 부피를 구하여 cm^3와 m^3로 나타내어 보세요.

(8000000) cm^3
(8) m^3
$2\times2\times2=8(m^3)$
$8m^3=8000000cm^3$

(18000000) cm^3
(18) m^3
$4\times1.5\times3=18(m^3)$
$18m^3=18000000cm^3$

(6000000) cm^3
(6) m^3
$3\times2.5\times0.8=6(m^3)$
$6m^3=6000000cm^3$

(13500000) cm^3
(13.5) m^3
$1.5\times2\times4.5=13.5(m^3)$
$13.5m^3=13500000cm^3$

▶ 전개도를 접었을 때 만들어지는 직육면체의 부피를 구하여 cm^3와 m^3로 나타내어 보세요.

$4\times4\times4=64(m^3)$
$64m^3=64000000cm^3$
(64000000) cm^3
(64) m^3

$0.8\times0.5\times1=0.4(m^3)$
$0.4m^3=400000cm^3$
(400000) cm^3
(0.4) m^3

$3\times3\times4.5=40.5(m^3)$
$40.5m^3=40500000cm^3$
(40500000) cm^3
(40.5) m^3

58 교과도형_F1 / 도형플러스 59

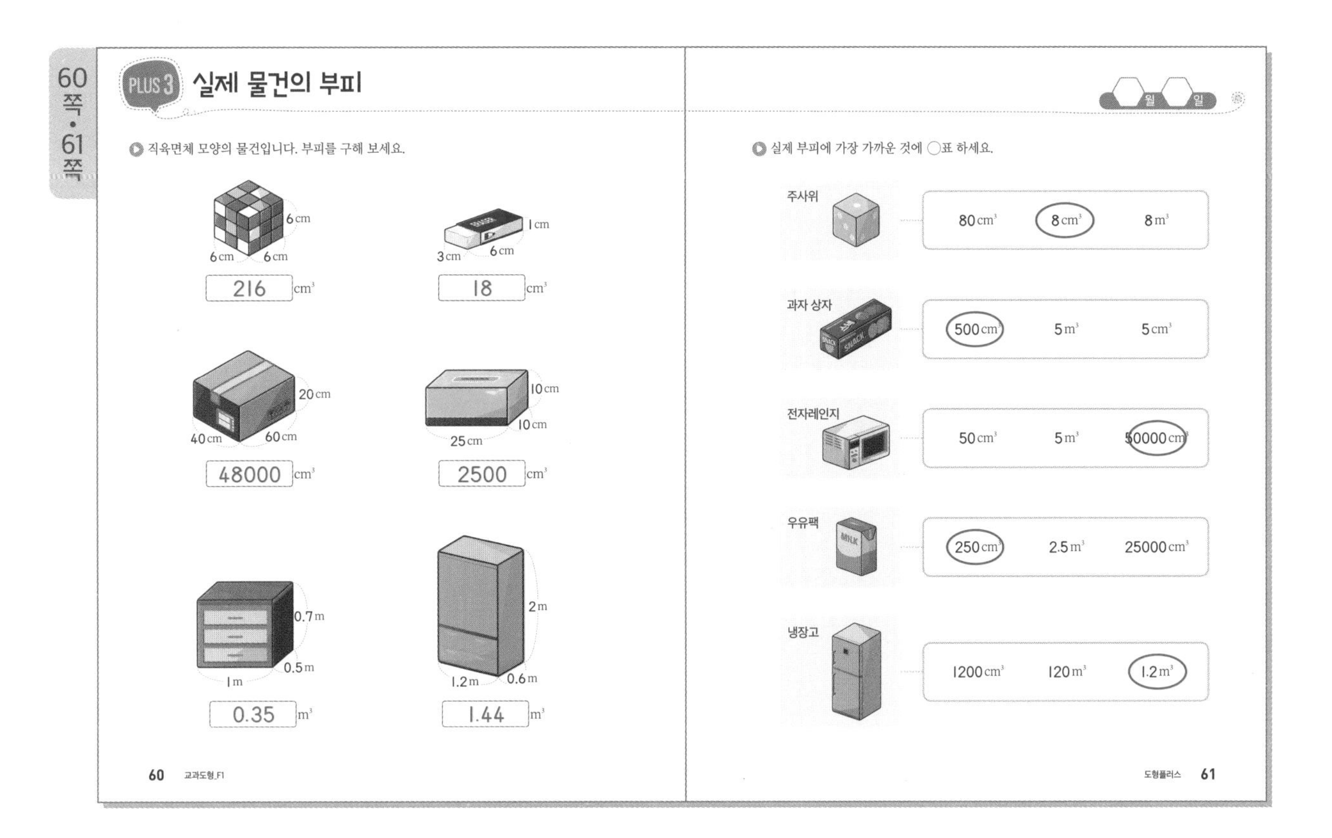

[부피와 들이]

부피는 입체가 공간에서 차지하는 크기이고, 들이는 그릇 안에 담을 수 있는 양입니다. 다시 말해 그릇이라는 사물이 공간에서 차지하는 크기는 부피이고, 그릇 안에 담은 물의 양은 들이입니다. 그릇의 들이는 그릇에 가득 담은 물의 부피라고 할 수 있습니다. 이렇듯 부피와 들이는 비슷하지만 다른 개념입니다.

1mL는 용기의 내부 공간이 가로, 세로, 높이가 각각 1cm인 정육면체의 부피에 해당하는 양으로 $1mL=1cm^3$입니다.

$$1\times1\times1=1cm^3=1mL$$

$$10\times10\times10=1000cm^3=1L$$

$$100\times100\times100=1000000cm^3=1m^3=1000L$$

부피의 양감을 익힐 때는 물 500mL, 우유 200mL, 우유 1L 등과 같이 들이를 이용하면 도움이 됩니다.

64쪽 · 65쪽

형성평가 1회

맞힌 문항 수: ____ 문항 / 6문항

1 전개도를 접었을 때 만들어지는 각기둥의 이름과 면의 수, 모서리의 수, 꼭짓점의 수를 각각 써넣으세요.

이름	오각기둥	
면의 수	7	개
모서리의 수	15	개
꼭짓점의 수	10	개

2 전개도를 접었을 때 주어진 선분과 맞닿는 선분, 주어진 면과 만나는 면을 찾아 모두 써 보세요.

선분 ㄱㅊ − 선분 ㅇㅅ 또는 선분 ㅅㅇ

면 ㄹㅁㅂ − 면 ㄱㄴㄷㅊ, 면 ㅊㄷㄹㅈ, 면 ㅈㄹㅂㅅ

선분을 따라 순서대로 쓰면 면의 기호를 쓰는 방향과 시작점은 달라도 정답입니다.

3 칠각뿔과 면의 수가 같은 각기둥의 이름을 써 보세요.

칠각뿔의 면의 수: 8개

면이 8개인 각기둥은 육각기둥입니다.

(육각기둥)

4 사각기둥과 사각뿔에서 서로 같은 것의 기호를 모두 써 보세요.

㉠ 면의 수 6/5　㉡ 모서리의 수 12/8

㉢ 한 밑면의 변의 수 4/4　㉣ 꼭짓점의 수 8/5

㉤ 옆면의 수 4/4　㉥ 밑면의 수 2/1

(㉢, ㉤)

5 각기둥의 전개도를 완성해 보세요.

1cm, 1cm, 2 cm, 5 cm, 4 cm, 3 cm, 6 cm

6 다음 입체도형이 각기둥이 아닌 이유를 써 보세요.

이유 예 옆면이 직사각형이 아닙니다.

예 평행한 두 면이 합동이 아닙니다.

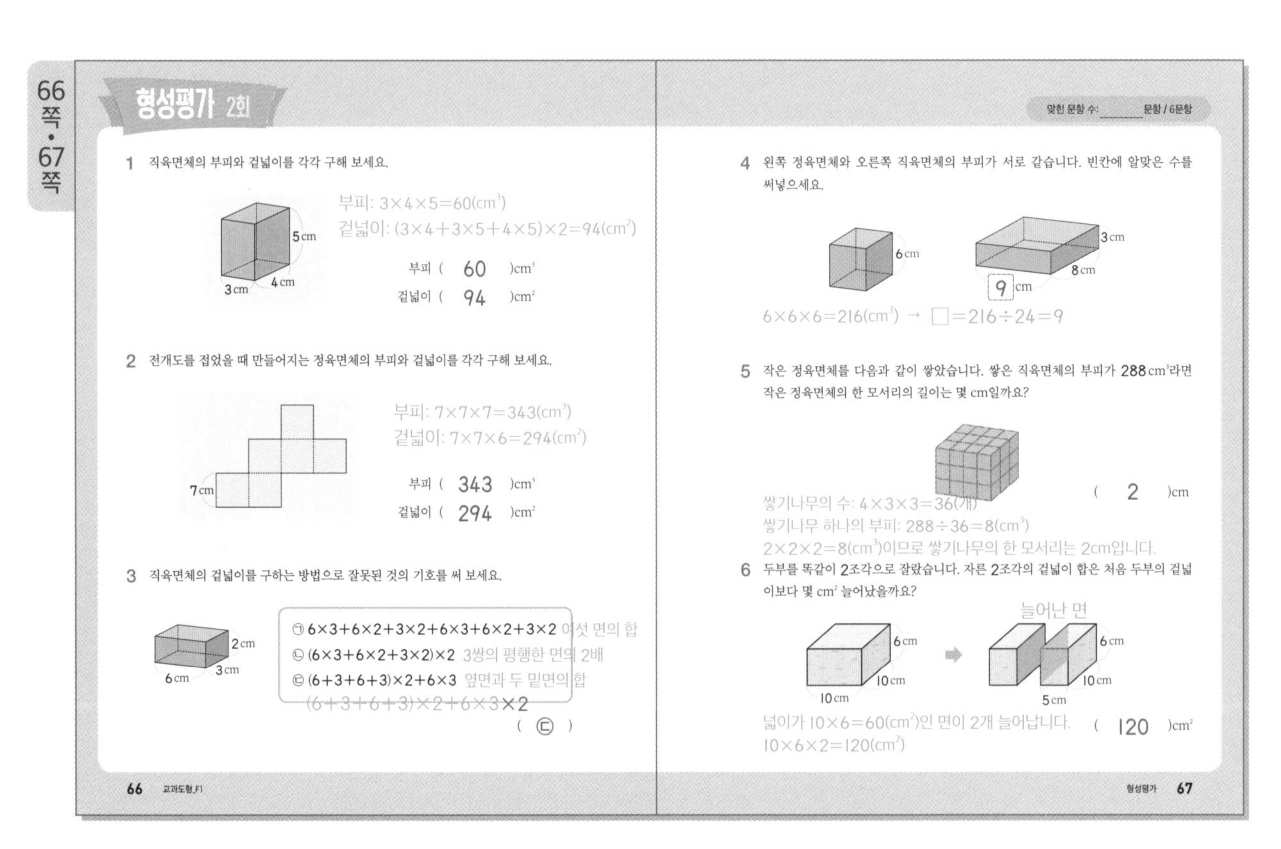

66쪽 · 67쪽

형성평가 2회

맞힌 문항 수: ____ 문항 / 6문항

1 직육면체의 부피와 겉넓이를 각각 구해 보세요.

부피: $3\times4\times5=60(cm^3)$

겉넓이: $(3\times4+3\times5+4\times5)\times2=94(cm^2)$

부피 (60) cm^3

겉넓이 (94) cm^2

2 전개도를 접었을 때 만들어지는 정육면체의 부피와 겉넓이를 각각 구해 보세요.

부피: $7\times7\times7=343(cm^3)$

겉넓이: $7\times7\times6=294(cm^2)$

부피 (343) cm^3

겉넓이 (294) cm^2

3 직육면체의 겉넓이를 구하는 방법으로 잘못된 것의 기호를 써 보세요.

㉠ $6\times3+6\times2+3\times2+6\times3+6\times2+3\times2$ 여섯 면의 합

㉡ $(6\times3+6\times2+3\times2)\times2$ 3쌍의 평행한 면의 2배

㉢ $(6+3+6+3)\times2+6\times3$ 옆면과 두 밑면의 합

$(6+3+6+3)\times2+6\times3\times2$

(㉢)

4 왼쪽 정육면체와 오른쪽 직육면체의 부피가 서로 같습니다. 빈칸에 알맞은 수를 써넣으세요.

6 cm, 3 cm, 8 cm, 9 cm

$6\times6\times6=216(cm^3)$ → $\square=216\div24=9$

5 작은 정육면체를 다음과 같이 쌓았습니다. 쌓은 직육면체의 부피가 288 cm^3라면 작은 정육면체의 한 모서리의 길이는 몇 cm일까요?

쌓기나무의 수: $4\times3\times3=36$(개)

쌓기나무 하나의 부피: $288\div36=8(cm^3)$

$2\times2\times2=8(cm^3)$이므로 쌓기나무의 한 모서리는 2cm입니다.

(2) cm

6 두부를 똑같이 2조각으로 잘랐습니다. 자른 2조각의 겉넓이 합은 처음 두부의 겉넓이보다 몇 cm^2 늘어났을까요?

늘어난 면

6 cm, 10 cm, 10 cm, 6 cm, 10 cm, 5 cm

넓이가 $10\times6=60(cm^2)$인 면이 2개 늘어납니다.

$10\times6\times2=120(cm^2)$

(120) cm^2

하루 한 장 60일 집중 완성 교과도형

"한 권이면 충분합니다."

도형을 다양한 문장과 그림,
수식으로 표현합니다.

감각
sense

도형 학습의 바탕이 되는
공간감각을 길러줍니다.

표현
expression

측정
measurement

측정을 더하여
도형 학습을 완성합니다.